近現代中華文化思想叢刊

孫中山的活動與思想

上冊

桑兵　著

目次

下冊

下編

緒論

　　吾友移席某市，相見稱，彼處凡學歷史者皆不治史，凡治史者皆非學史出身。聞言感慨萬端，此實將近來學界的種種弊端一語道破。時下一些學人對本行現狀多有不滿，或歸咎於故人，或借鑒於別科，於是趕超前賢，跨越學科之說甚囂塵上。至於如何超與跨，無非以立異為創新，在本學科以不知為無有，在他學科以不懂為新奇。所欲超越者，多半為必不可少而尚未掌握的行規，則標新立異不過是越矩違規。此類言行，看似好標高的，膽大妄為，實則內裏空虛，對已知不自信，對未知則盲從，究其實，還是學問未上軌道。

　　治學須在技術層面以上才能發揮個性，若以規矩為束縛，則門徑已成局限。近年來不少學科的學人不安於位，愚意原因還在對本學科的基本規矩知之不深，所以易於動搖。以史而論，不知如何弄清史實，便欲縱論史識史鑒，如此不溫故而欲創新，難免半桶水之妄。而無知者無畏，讀書越少越放言無忌，與前賢讀書越多越不敢說話適成反證。世風亦推波助瀾，或自命權威，或詡為典範，以為站在侏儒身上便成了大師。又惟恐別人不認，復設立獎項稱號，詔告天下，功成名就，以期不朽。為學者因而不在學術建樹方面爭久遠，唯爭一時名利之得失，關起門來水準越評越高，放之四海則難免每況愈下，自欺欺人之舉在學術界或有氾濫成災之虞。據說某市曾有「到本世紀末」引進和培養大師各10人的宏偉計劃，如今新千年早已來臨，大師卻蹤影杳然。

　　上述現象，晚清尤其是新文化運動以來愈演愈烈，究其原因，中

學在與西學的衝突中日益失勢至關重要。中學無本，則學術多由外來，本既在外，不易知其詳，人類天性又趨易避難，學人復好新奇而畏艱深，加之傳媒哄抬，學子風從，遊談無根之說自然大行其道。本來學問之事講究天賦和訓練，最不適於多數取決，必以此定學問之優劣得失，絕無政治民主的兩害相權取其輕與糾錯效果，只能在人多勢眾的喧鬧中使民族的智慧流於平庸。

　　歷史研究，政治史本為傳統正史的主體，在歐洲近代學術變遷中，則是變革的主要對象之一。近代中國的新史學興，正史自然受到衝擊。到1924年，章太炎已經批評時人治史受日本東洋史學的影響，「重文學而輕政事」[1]，「詳於文化而略於政治」[2]。隨著歷次革命的凱歌式進行，政治史再度成為學人關注的重心，只是偏於事件。革命結束後，以革命史為中心和歸宿的政治史又逐漸冷卻。20世紀中國諸如此類的迴圈不僅隨處可見，而且多次重複。至今恐怕很少有人回味漸入頹唐的章太炎的言論。由有學問的革命家退居寧靜的學者，政治上逐漸淡出前臺，思想上也趨於保守，學術的思考反而因此能夠避免過度的情緒化，在西學大潮排山倒海般湧來之際，強調民族固有的特性，是非正誤姑且不論，整體上可與新文化互補，當是不爭的事實。研治中國史事，不能不受歷史進程和資料遺存樣態的制約，重政事適為表現之一。中國歷史文化一以貫之，制度史自然受到格外重視。而在常態的社會史研究之外，重大事件和人物研究肯定會魅力永存。時下外行介入，主要即在這類領域。

　　治史學如弄文學，做什麼固費斟酌，怎樣做尤其重要。時人好從選題區分宏觀與微觀，其實做什麼雖然具體，怎樣做卻能舉一反三。

1　章炳麟：《救學弊論》，《華國月刊》第1卷第12期，1924年8月15日。

2　章炳麟：《勸治史學並論史學利弊》，《新聞報》1924年7月20日，引自《北京大學日刊》第1526號，1924年9月24日。

治史目的首在求真，但在重建史實的過程中，所揭示的絕不僅僅限於史實的真偽。「講宋學，做漢學」一途，最要在所做工夫均能體現微言大義，而又處處皆得徵實。離開史學專談史法，難免兩面脫節，流於空泛。即使有必要建立新的解釋框架，也應通過一定的具體研究表現出來。所以，同一題目出自不同人之手，格調品味，高下有別。以成果分，品類有四，曰不看也知，一看便知，看到即知，看也不知。

所謂不看也知，其選題便不能成立，墮入學術陷阱，即使自圓其說，也離事實真相愈遠。一看便知者，能將所見材料排列，或敘述人事之大體，或分析問題各方面，雖無新意，尚不越矩。此類切忌以前人尚無系統專門研究等語自我標榜，因所說已為前賢分別道出，或在意料之中，雖無專篇，或係唾餘。看到即知，指其專以新材料研究新問題，又有上下之別，上焉者以新材料貫通舊材料，識一字成活一片，開創新解，糾正陳說。下焉者乘空蹈隙，求新奇而偏一隅，以瑣碎為發現。看也不知者，所用雖常見材料，其大能夠融會貫穿，通方知類，其小可以讀書得間，力透紙背，均能發人未發之覆。極高明者，甚至將所用材料一一列出，亦看不出所以然，必經其人講解論述，指點迷津，方能豁然開朗。除第一類外，其餘均在水準之上，但最後一類若不寫出或講出，則重複發明可遇而不可求。或以為學人著述不在乎多一本少一本，一般而言固然，至於做到極高明者，才識機緣，均賴天成，如不在為己之後為人，則不知何時能有繼起者悟出，實為學界難以彌補的損失。學術之事，能增加量的擴張已十分困難，要在質的提升方面有所建樹，談何容易？

入門以來，便與孫中山研究剪不斷，理還亂。近25年來，適逢孫中山研究經歷由「險學」而「顯學」的轉變，進展顯而易見，成果的量極多，面極寬，要找一規模合適又有深度的方向已成棘手難題。但所謂盛極而衰，禍福相倚，中興裏潛伏著危機。其一，從冷變熱，吸

引了不少學人的關注，也不免成為爭食的飯碗，而在量的擴張的同時，質便做了犧牲，低水準的重複不在少數。其二，碗小而僧多，要不斷擴大容量，容易流於偏斜，如紅學之末流。其三，凡附加許多社會責任之學，往往有些不堪重負，學人反而視為畏途，不願虛耗精力。如此一來，流品混雜，學術難免等而下之。

平心而論，儘管孫中山研究碩果累累，整體上仍未能達到令人滿意的程度。倒不是用國際拿破崙研究已有傳記千餘種作為參照，這樣的傑出人物無疑會不斷成為史家乃至社會重新認識的對象，就學術言，至少有幾點可以討論：一、迄今為止，無論國內抑或海外，已出的孫中山全傳中尚無一種得到學界的公認。撇開觀念的差異，僅以深入程度論，後續各書恐怕還不及史扶鄰1968年的《孫中山與中國革命的起源》。二、既有成果中誤讀錯解孫中山思想言行者即使不能說比比皆是，也為數不少，還有相當多的部分雖有論點，論據卻未經過嚴格檢驗，或者只是按照後來的外在觀念，為孫中山重塑金身。三、已有的資料很多地方讀不懂，當然不是指字面的意思，而是相關的人事及所指，強作解人不過是望文生義。隨著新史料的問世，識一字成活一片的情形隨時可見。凡此種種，均說明相關研究尚屬幼稚。

棘手與幼稚，看似相悖，實則相通，這也正是人物研究的特性。據說上一世紀70年代美國的中國學界中，凡找不到適當題目又想有把握獲得博士學位者，就會以人物研究為捷徑。其實，人物研究上手較易，做好卻極難。因為不能僅僅描述外形，還要對其言行具瞭解之同情。這種所謂瞭解同情，絕非時下等而下之的心理分析之類，用後來的外在觀念妄度前人，而要以實證虛，通過瞭解前後左右的人事及其內在聯繫，具體掌握其每一言行的殊境、思維、潛意識甚至無意識，不以一人之是非為是非，以免誅心臆測。更有甚者，或認為要瞭解歷史人物，須在相關的知識和智慧方面超越對象，否則難以返其本心。

孫中山這類人物，時間跨度大，經歷事件多，交往聯繫廣，又兼具政治家、思想家等多種品格，經驗與智慧均為常人所不及，為人行事往往逸出常軌，要具瞭解之同情，是對學人見識與功力的極大考驗。非有極高天賦，良好機緣，優越條件，並對此情有獨鍾者立志潛心，十年磨劍，難以奏功。可惜主觀條件適合者別有天地，又不願趨時逐流，偶以餘力，只得片斷。

治史初窺門徑以來，就在以孫中山研究為主業的機構，所謂在商言商，陸續也做了一些工夫。尤以在陳錫祺先生主持下編輯《孫中山年譜長編》，受到的訓練最大，而且得益不限於孫中山研究。凡治一人事，如有長編、紀事本末和考異為基礎，必能得心應手，遊刃有餘。而要做足這些工夫，一人一事亦戛戛乎其難。今人有一絕大誤會，以為近代史料易讀，治學難度較古代史為低，其實大謬不然。以史料言，陳垣力求竭澤而漁，而近代史料浩繁，無法窮盡。以史學言，陳寅恪治中古史重在制度文化，治晚近史則深入心境，要以實證虛，艱辛也在信而有徵之上。所以，編過《長編》之後，愈知不可輕易出手。其時有一撰寫孫中山傳的計劃，得幾位師友相邀，分工合作，即主張規模宜稍大，詳盡之後，繼以簡約，則判斷才不至於偏誤。所承擔1895至1911年一段，寫到庚子，已逾10萬言。後來這一計劃因故擱置，心得分別寫成單篇論文，或融入其它著述。10年來治庚子勤王史事，實由此發端。本書的幾章，亦為副產品。同樣受編輯《長編》的影響，關於孫中山與同盟會成立的過程，也是關注的重心之一。

治史切忌為成見所囿，先入為主。從定義出發，或以某人立場為據，均違背具體問題具體分析的正道。而人物研究中，上述正是較為常見的偏弊。有時論戰雙方看似針鋒相對，或維護，或翻案，其實背後的思維認識方式基本一致。有關《孫中山與庚子勤王運動》和《陳

炯明事變前後的胡適與孫中山》的討論，很想由前後左右的關係入手，把握當事人的言行，避免以主觀設定的標準衡量評價。從歷史本身的複雜性中看出所謂規律，遠比犧牲史實得出概念化的論斷來得重要。

本書收錄的各文，或已經在國內外學術刊物上陸續發表，或成稿有年，未曾面世，或為近期寫作。已刊者當時或有手眼不到，因而致誤之處，此後材料多見新出，隨時有所簽注，認識也有局部調整，彙集時均做程度不同的增改訂正，有的增加篇幅較原來多出數倍，幾近重寫。這倒不是悔其少作，故意毀屍滅跡，而是想反映自己認識的進展。其中《孫中山與同盟會的成立》和《信仰的理想主義和策略的實用主義——論孫中山的政治性格特徵》兩文，頗為猶疑。前者為與人商榷之作，章開沅師後來曾教以治學宜正面立論，不宜對面爭論，雖然不一定針對此文，卻無異於當頭棒喝。凡對面爭論者，其始既為對方制約局限，其終往往意氣用事，走向偏激。雙方論點針鋒相對，唇槍舌劍，而觀念和認知方式如出一轍。後者則因為稍前史扶鄰教授在臺灣的一次研討會上提出過論點相同，論證較略的論文，限於條件，當時未曾寓目，加以論證方式與目前信守的辦法略有出入。另外，《孫中山與新加坡華僑》本來是為一本孫中山與華僑的專書所擬的一章，其體例要求不用注釋，後來因故擱置。現儘量補回注釋，疏漏在所難免。

本書各文在搜集資料、研究和寫作過程中，得到中村義、狹間直樹、久保田文次、呂芳上、王學莊、容應萸、朱英、胡波以及中山大學孫中山研究所各位師友多方面的幫助，謹此致謝。

上編

孫中山與庚子勤王運動

　　1900年是清末政局變動至關重要的一年，前人早已注意及此，從各個方面做了大量研究，關於自立軍起義，用力亦不少，近年來更有新的進展。[1]然而，仔細閱讀海內外相繼問世的各種新史料，感到問題不僅僅是修補完善原有的認識，新材料的出現使得原來舊材料讀不通而不得不闕疑處能夠成活一片，有關史實的認定及問題的分析完全改觀，而學人發掘其潛力則遠遠不足。新近脫稿的《晚清新知識界的社團與活動》，用較多的篇幅探討庚子勤王運動。此外，還撰寫了《孫中山致港督卜力書》的論文，並對中國國會領導成員的身世交遊及其相互關係進行了認真梳理。從孫中山與庚子勤王運動的關係這一角度，亦可見一斑。

　　簡言之，勤王運動並非漢口自立軍一枝獨秀，而由保皇會的兩廣戰略、江浙士紳的江淮密謀以及漢口自立軍三股勢力結合而成。三者從宗旨政略到組織系統均各自獨立，而又相互交錯，為了改變戊戌政變以來中國上下萎靡不振的局面，造成全國大舉的形勢，進行聯合角逐，關係十分複雜。合組興漢會的湖南哥老會首領不僅始終在自立軍中扮演重要作用，而且是革命派的依靠力量。孫中山與興中會為了乘亂爭勝，接受梁啟超的意見，同意用借勤王以興民政作為聯合戰線的

1　參見深澤秀男：《自立軍起義について》，辛亥革命研究會編：《中國近代史研究入門》，汲古書院1992年版；湯志鈞：《孫中山與自立軍》，《歷史研究》1991年第1期；湯志鈞：《自立軍起義前後的孫康關係及其它》，《近代史研究》1992年第2期。

旗號。他們不僅與自立軍的行動保持一致，相互呼應，還努力爭取保皇會澳門總局的協助，並與汪康年等江浙士紳協議合作。包括保皇會在內的各派均參與發起以反對當朝執政，革新變政為宗旨的行動。只是在實行以武力掃清變政障礙的過程中，一些派系感到實力不足，不能適應，遂放棄使用暴力的企圖，並極力將有關史實隱諱掩飾。

一　興漢會與自立軍

　　講到孫中山與庚子勤王運動的關係，首先應注意興漢會在自立軍中的地位和作用。一般認為，到1900年春，興漢會事實上就消亡了。[2]而在此之前，兩湖哥老會已經倒向保皇會。因此，自立軍起義時，興漢會不再發生作用。興漢會由孫中山、畢永年等人發起，是興中會與兩湖聯繫的重要組織形式。它的消亡，當然表明興中會在這一方面的影響無形中止或大大削弱。只是這種看法與史實明顯不符[3]。

　　追根溯源，自立軍是孫中山與湖南維新派合作以謀大舉的結果。戊戌變法失敗後，1898年10月，唐才常、畢永年東渡日本，向流亡於此的康有為、梁啟超進言勤王舉義，爭取日本的援助。[4]經畢永年介紹，唐才常又與孫中山會晤，「對於湘、粵及長江沿岸各省之起兵策劃，有所商榷。」[5]11月24日，楊衢雲函告謝纘泰：「我們的計劃獲得成功，和湖南的維新派取得合作。……但由於自私妒忌的緣故，兩黨

2　手代木公助：《戊戌より庚子に至る革命派と變法派の交涉──當時の日清關係の一斷面》，近代中國研究委員會編：《近代中國研究》第7輯，東京大學出版會1966年版。

3

4　東亞同文會編：《對支回顧錄》下卷，東京原書房1968年版，第381-382頁；明治31年10月24日東京警視總監西山志澄致外相大隈重信甲秘第155號。

5　馮自由：《革命逸史》初集，北京，中華書局1981年版，第74頁。

聯合可能有困難。」[6]前者指唐才常、畢永年等人,後者則指康、梁一派。畢永年本來主張激進,提倡種族思想,戊戌政變發生,自斷髮辮,火其貢照,「示不復再隸於滿清之治下」[7]。到日本後,畢永年的反滿情緒激化,與康有為已生隔閡,而與孫中山結識,卻受到重視。11月中旬,他接到湖南急電,會黨起事在即,[8]欲歸國行動。平山周獲悉,以為湖南一隅發動不易成功,與同志商議,希望暫緩其事。孫中山即請畢永年和平山周二人赴湖南視察會黨情形。[9]

　　畢永年、平山周視察的結果,認為維新勢力已經寂寞無足觀,而哥老會「必可為他日革命軍之一勢也」[10]。1899年2月,畢永年因事與康有為決裂,[11]回到日本向孫中山覆命。孫中山得知湖南會黨的詳情,力主湘、鄂、粵同時大舉。是時唐才常再次東渡,與康、梁籌畫起兵勤王事宜,與孫中山籌商長江各省與閩粵合作之事。由於保皇會在海外聲勢浩大,唐才常不便與興中會合作,態度較前消極,經畢永年、平山周等多方斡旋,始訂殊途同歸之約。[12]為此,孫中山派畢永年返回國內,聯絡湖南會黨頭目。經過努力,畢永年於1899年9月率湖南會黨頭目赴香港,與陳少白等人商議合作辦法。在陳少白、宮崎

6　謝纘泰著,江煦棠、馬頌明譯:《中華民國革命秘史》,中國人民政治協商會議廣東省委員會文史資料研究委員會編:《廣東文史資料·孫中山與辛亥革命專輯》,廣州,廣東人民出版社1981年版,第302-303頁。

7　民表:《畢永年傳》,杜邁之、劉泱泱、李龍如輯:《自立會史料集》,長沙,嶽麓書社1983年版,第229頁。

8　《畢永年與犬養毅筆談》,湯志鈞:《乘桴新獲——從戊戌到辛亥》,南京,江蘇古籍出版社1990年版,第402頁。

9　據明治31年11月28日東京警視總監大浦兼武致青木外相乙秘第655號,平山周等人於11月15日由橫濱出發。

10　《湖南現狀》,《知新報》第85冊,1899年4月30日。

11　參見楊天石:《畢永年生平事蹟鉤沉》,《民國檔案》1991年第3期。

12　馮自由:《中華民國開國前革命史》上編,重慶,中國文化服務社1944年版,第66頁。

寅藏等人的幫助下，10月上旬成立興漢會，公推孫中山為總會長。11
月9日，宮崎寅藏和陳少白由香港抵達橫濱，向孫中山報告組成興漢
會的情況，呈交會長印信。[13]

　　1899年11月中旬，林圭等人應唐才常之邀，準備返湘聯絡會黨。
孫中山和陳少白、平山周、宮崎寅藏等出席了梁啟超、沈翔雲等人在
紅葉館舉行的送別會，席上梁啟超還把合作的話，殷殷商酌。林圭臨
行前向孫中山請益，孫中山為其介紹在漢口俄國順豐茶行當買辦的興
中會會員容星橋。此舉應是興中會與湖南維新派合作的具體體現，雙
方的確是在通力合作。這時孫中山剛剛成為興漢會總會長，等於將興
中會在兩湖人馬的班底作為與唐才常等人合作的基礎。林圭返湘不
成，臨時改到漢口，與容星橋等人一起創辦義群公司，骨幹即為興漢
會成員。容星橋還幫助林圭在租界尋找開設公所以為聯絡機關的住
房。所以林圭說：

> 「滿事未變以前，中峰主於外，既變而後，安兄鼓於內。考
> 其鼓內之始，安兄會中峰於東而定議，與平山周遊內至漢會
> 弟，乃三人同入湘至衡，由衡返漢。其中入湘三度，乃得與
> 群兄定約。既約之後，赴港成一大團聚，於是本公司之名大
> 噪，而中峰之大英豪，人人始得而知仰企矣。」[14]

　　興漢會是興中會與湖南、廣東會黨的舊式結盟，而非新型社團或
黨會組織，與盟興漢會的會黨首領多為挑選出來的代表，他們在自立

13　明治32年11月21日神奈川縣知事淺田德則致青木外相；宮崎滔天著，佚名初譯，林
　　啟彥改譯、注釋：《三十三年之夢》，廣州，花城出版社、三聯書店香港分店1981年
　　版，第168-174頁。
14　《林圭致孫中山代表容星橋書》，杜邁之、劉泱泱、李龍如輯：《自立會史料集》，
　　第322頁。

軍系統中的地位一直未被動搖。同時，儘管這些會黨首領接受過康有為的贈款，令畢永年一度失望而削髮為僧，唐才常的政治宗旨與林圭等人又不一致，興中會對自立軍系統的影響卻一直賴以保持。

漢口義群公司成立後，林圭、容星橋、張堯卿等議定開辦銀礦輪棧，分派會黨頭目擔任各路之探險聯絡。隨後由容星橋、張堯卿到日本與孫中山商議行動計劃，「中峰待之甚懇摯，然所商尚無一定之規」，只是委派容星橋專辦湘、漢之事。林圭從返回漢口的張堯卿處獲悉有關情況，致函容星橋，請其「此次與中峰必須商定一是，否則本公司之名已流播四方，而實在尚未起蒂。今日之事，我輩如大舟已行至江中，舵不靈穩，則舟將覆；人工不力，則將退而不前。倘尚有翻覆而解散之，則不惟貽笑目前之大眾，即後來傳道亦屬難堪。」[15]由此可見，至少在義群公司時期，漢口的興中會、興漢會和湖南維新派聯成一體，而視孫中山為舵手和引導。

1899年12月下旬，唐才常等人在上海成立正氣會，參與者除了湖南維新派和江浙革新士紳外，還有「由哥老會來者，即張某、辜某、要某、容某等也」[16]。這應是張堯卿、辜人傑、容星橋等人，則正氣會仍是興中會與湖南維新派合作的擴大。畢永年棄事為僧不久，終無死心，仍起而救世，1900年1月24日，楊衢雲告訴謝纘泰：「湖南革命黨人在湖南和湖北省，假裝和尚正積極地進行組織工作」[17]，即指畢永年。

1900年3月以後，因為在正氣會中與汪康年一派發生矛盾，唐才

---

15 《林圭致孫中山代表容星橋書》，杜邁之、劉泱泱、李龍如輯：《自立會史料集》，第322頁。

16 田野桔次：《最近支那革命運動》，上海，新智社1903年版，第13頁。

17 謝纘泰著：《中華民國革命秘史》，《廣東文史資料‧孫中山與辛亥革命專輯》，第305頁。

常讓出幹事長的位置，用1899年5月與梁啟超等人創立於橫濱的自立
會的名義，展開聯絡聚合長江流域秘密會黨的活動，4月開辦富有山
樹義堂，參與興漢會的楊鴻鈞（子嚴）、李金彪為正龍頭，王質甫、
畢永年任副龍頭，辜仁傑任總堂（辜仁傑即人傑，又名鴻恩，萬
年），柳啟賓（即柳秉彝）、譚翥（即譚祖培）任盟堂，張堯卿（即張
燦，義年）為盟證，李權傑（或即李堃山）總辦岳州、華容、平江、
羊樓峒一帶。[18]這等於再度肯定興漢會成員的代表地位。馮自由說這
些會黨首領後來各自發票，脫離自立軍，與史實不符。據井上雅二日
記，直到1900年7、8月間，自立會長沙為首者楊鴻鈞、張燦，岳州、
新堤為首者譚鳳池即譚翥。楊鴻鈞、李金彪二人年長位尊，實際任事
者是張燦。辜人傑則是江寧湘軍與自立軍溝通聯繫的關鍵人物，人稱
「五省欽差」。8月唐才常趕赴漢口時，介紹井上雅二到南京見辜仁
傑，由其作中介，聯絡總兵楊金龍、副將趙雲龍等為自立會盡力。[19]
自立軍失敗，譚翥死於長沙，李金彪、楊鴻鈞亡走廣東，後被捕，瘐
死獄中。辜人傑殞於湖北，張堯卿被逮捕，辛亥革命後出獄。柳秉
彝、李堃山下落不明。[20]

興漢會成員積極參與自立軍的活動，正是孫中山與湖南維新派合
作戰略的重要體現。不僅如此，在畢永年的影響下，興漢會成員還努

---

18 古哀洲後死者原輯，趙必振增補：《自立會人物考》，杜邁之、劉泱泱、李龍如輯：
《自立會史料集》，第298-317頁；《光緒二十六年九月張之洞進唐才常等組織哥老會
名單》，《中國近代史資料叢刊・辛亥革命》第1冊，上海人民出版社1956年版，第
276-277頁；張伯楨：《張篁溪遺稿》，《中國近代史資料叢刊・戊戌變法》第4冊，上
海，神州國光社1953年版，第283-292頁。

19 井上雅二：《當用日記》附件《中國自立會的布置》，近藤邦康：《井上雅二日
記──唐才常自立軍蜂起》，《國家學會雜誌》第98卷第1、2號合刊。

20 古哀洲後死者輯：《自立會人物考》、唐才質：《自立會庚子革命記》，杜邁之、劉泱
泱、李龍如輯：《自立會史料集》，第298-317、79-99頁。

力直接配合興中會的行動。畢永年勸唐才常脫離保皇會關係，改奉排滿宗旨不成，痛哭而去，到廣東全力投入興中會。1900年7月15日他致函宗方小太郎，提出：

> 「惟臺灣之事，全賴先生注意成之，或乞先生偕中山氏往臺一行，或即留中山寓於臺地。彥願力任閩中之事，而與服部君及粵中諸豪聯為一氣，或不甚難。因彥之友多在五虎口、華秋、電光、射馬、長門、金牌、閩安諸炮臺及馬尾、南臺諸營中者，但得佳果五千枚，便可消暑熱。彥雖無救焚拯溺之材，然臺中既得先生及中山之佈署，而粵中又有服部之肆應，或者其有成乎？」

孫中山與劉學詢、李鴻章等人密謀廣東獨立，畢永年有所回應，李雲彪、楊鴻鈞等也到廣東、香港。畢永年函告平山周：

> 「李鬍子已去肇慶、廣安水軍中，大約一二禮拜可回省城。李鴻章氏已出條教，大有先事預防之意，或納粵紳之請，其將允黃袍加身之舉乎？日內又查察滿洲人之流寓戶口，未審有何措施？此公老手斫輪，如能一順作成，亦蒼生之福。聞楊鬍子偕蕭姓到港，必謁仁兄，未知有何言，乞勿以秘密告之，因楊材劣，而蕭姓又新交也。弟日內集諸同志，咸踊躍聽命，弟欲乘此機，一一深結之，俾勿冷其心意」。[21]

張堯卿的動向尤其值得注意。張名燦，又名義年，「本世家子，

---

21 楊天石：《畢永年生平事蹟鈞沉》，《民國檔案》1991年第3期。

而又通會門」[22]，「工書法，能文章。……為人饒有才具，深通軍事，在會黨中甚有聲望。」[23]1899年5月16日，作為畢永年的朋友，他和譚祖培、李心榮等拜訪宗方小太郎，談及要盡快在湖南發動起義。宗方認為三人均為江南地方難得的少年才俊。[24]林圭稱張堯卿「足智多謀，遇事有把握，實駕群兄而上之。況此達變通才，無事而暫為之，亦無大損；若有事而亦常亂為者，是真無用才，而張兄決保非其人也。」義群公司的決策機要，主要由林圭、容星橋和張堯卿三人協商制定。後因其被人讒謗，林圭還致函容星橋向孫中山進言，希望孫「擇用自有定見。倘其信任不專，易為人動者，則他人一語而誤大事，亦常應有之義。」[25]張堯卿似也不負所望，7、8月間，他還協助文廷式到長沙為興中會辦事。[26]

興中會員的動向與此相映證。1900年1月，孫中山委任容星橋專辦湘、鄂之事，從年初選擇聯絡處址，到8月間出面具保為唐才常等人租賃大屋，容星橋一直積極協助林圭。[27]8月9日，唐才常由滬赴

---

22 古哀洲後死者輯：《自立會人物考》，杜邁之、劉泱泱、李龍如輯：《自立會史料集》，第314頁。

23 唐才質：《自立會庚子革命記》，杜邁之、劉泱泱、李龍如輯：《自立會史料集》，第95頁。

24 東亞同文會編：《對支回顧錄》下卷，第383頁。此事在明治32年，該書誤植為明治33年。或據以斷定1900年5月畢永年在上海活動，誤。

25 《林圭致孫中山代表容星橋書》，杜邁之、劉泱泱、李龍如輯：《自立會史料集》，第323頁。

26 《俞廉三奏報唐才中供詞二則》，杜邁之、劉泱泱、李龍如輯：《自立會史料集》，第149頁。供詞稱：「那文廷式於六七月間到長沙，是來辦孫革命黨的事，又名三合會，廣東人最多，約了富有會的張堯卿幫他散票。他們革命黨，與康、梁之保皇會相反，彼此不合，他們久已水火，不能聯成一氣的。」8月21日，文廷式返回上海，所辦之事不成功（近藤邦康：《井上雅二日記——唐才常自立軍蜂起》，《國家學會雜誌》第98卷第1、2號合刊）。

27 明治33年9月5日駐上海總領事小田切萬壽之助致青木外相機密第100號；《容星橋計

漢,興中會廣東負責人、參與興漢會、又列名富有山堂副龍頭的王質甫與之同行。[28]8月下旬,孫中山冒險歸國,雖身兼多項使命,主要還是應梁啟超之約,準備與之「攜手共入中原」,「大助內地諸豪一舉而成」。[29]據日本外務省檔案明治33年8月27日山口縣知事古澤茲報秘第10之620號,與孫中山同船赴上海的還有8月7日由上海來日的改革派張滄、高繡延二人。據容應萸博士考證,自立軍失敗後逃往日本的化名高打、高德的改革派青年,前者肯定是唐才質,後者可能是狄平。[30]則高繡延或為高打、高德二者之一,兩人在自立軍起義時負責調度後方。由此可見,孫中山赴滬很可能是應自立軍的邀請。綜觀以上情況,顯然這是興中會有計劃有組織的統一行動,說明孫中山視自立軍起義為本派參與的聯合反清大舉。所以自立軍失敗後,史堅如赴廣州謀炸德壽前夕,還到在《知新報》館任職的松岡好一宅中長談,發誓為唐才常報仇。[31]

二　興中會與保皇會

興中會以及興漢會的勢力影響能夠始終保持,也由於自立軍並非

告》。

28 井上雅二:《當用日記》明治33年8月9日,近藤邦康:《井上雅二日記——唐才常自立軍蜂起》,《國家學會雜誌》第98卷第1、2號合刊;張伯楨:《張篁溪遺稿》,中國史學會主編:《中國近代史資料叢刊·戊戌變法》第4冊,第283-293頁。自立軍失敗後,王質甫輾轉逃到香港,次年歲末在香港與秦力山相會(《開智錄》第5期,1901年3月5日)。

29 丁文江、趙豐田編:《梁啟超年譜長編》,上海人民出版社1983年版,第258頁。

30 《自立軍起義前後的容閎與康梁》,《歷史研究》1994年第3期。據包天笑《釧影樓回憶錄》,狄平遁走日本時確曾改姓高(香港,大華出版社1971年版,第421頁)。

31 松岡好一:《康孫兩黨之近情》,《東亞同文會第13回報告》,1900年12月。

保皇會勤王的主力正軍，康有為等人沒有重視在自立會方面與革命黨競爭，梁啟超則支持各派聯合大舉。

勤王動議最早由唐才常提出，他主張在長江流域聯合各派大舉起義，宗旨和組織均採取相容並蓄之策。本來康有為沒有大規模動武的勇氣，流亡之初，寄希望於列強干涉，以助光緒復辟，後來知道「與日本社會相合，而政府未必肯聽其請，……然至此亦悟無兵枋者之不能變政矣」[32]，才順勢打出勤王旗號。不過，康有為和保皇會澳門總局對唐才常聯合大舉計劃的反應不甚積極，而另行制定了一套兩廣起兵，襲湘攻鄂，席卷長江，直搗京師的戰略。[33]其主力為原廣西南關游勇頭目、後棲身廣東的陳翼亭，計劃由他率兵入桂發難，然後揮師北上，另以梁子剛（炳光，即「井上」）經營廣東。[34]

康有為後來稱：「向者長江之事，付之紱丞；廣西之事，付之羽異；廣東之事，付之井上。此當時鄙人苦心精擇，而後以大事托之，推心置信之。」[35]其實這是應付華僑追究的遁詞，欲將失敗的責任歸咎於擔當大任的「統兵之人」。保皇會真正重視和全力投入的還是兩廣，尤其以陳翼亭一路為主力正軍。所依靠的力量有三，一是康有為的草堂系骨幹，雲集澳門總局；二是兩廣的會黨、遊勇、綠林，除陳翼亭外，如廣東的區新、傅贊開、林玉、「版築」、「三品」等，廣西的李立亭、康四、李立及梧州二陳等；三是原臺灣民主國內渡官員以及各地原來支持戊戌變法的官紳，如唐景崧、丘逢甲、俞明震、康吾

---

32 1900年2月6日章炳麟來書，上海圖書館編：《汪康年師友書劄》（二），上海古籍出版社1986年版，第1951頁。其時章與康、梁均有通信，此為概述來信大意。

33 上海文物保管委員會編：《康有為與保皇會》，上海人民出版社1982年版，第45頁。

34 根據各種資料判斷，該「井上」並非東亞同文會幹事井上雅二，而是橫濱華僑商人梁子剛。井上雅二參與了長江流域的中國國會和自立會的活動，卻幾乎不知道保皇會在兩廣的行動。

35 《康有為致邱菽園書》，杜邁之、劉泱泱、李龍如輯：《自立會史料集》，第330頁。

友、陳寶箴、熊希齡、黃忠浩等。至於漢口自立軍、江淮徐懷禮、山東大刀王五等部，則是呼應的偏師。[36]財政上主要依賴南洋、美洲的華僑捐款。康有為在人、財、械各方面集中全力投向兩廣，海外籌款由保皇會撥給長江的僅1萬元（另外3萬元由丘菽園親手交給唐才常），而在兩廣前後共投入了20餘萬。這些款項大都為會黨首領騙取濫用，保皇會雖然沒有貪污侵吞，但缺乏軍事行動能力，組織調度混亂，勤王密謀始終未能正式發動。正因為保皇會的行動重心不在漢口，革、保雙方在此沒有展開激烈爭奪，自立會才能自行其是，與革命黨聯合。以後康有為故意掩飾真相，抹殺事實，令人產生種種誤解。

與康有為不同，梁啟超主張全力支持唐才常的中原大舉計劃。他多次寫信要求澳門總局給唐以財政援助，總局均堅持辦事同門人，打仗子弟兵的組織方針，不予回應。所謂中原大舉，組織上要聯合各派反清勢力，包括與康有為早有積怨的江浙士紳以及孫中山的革命黨，政治上則打出以勤王興民政的旗號，準備廢棄君主專制，視情況舉光緒為總統甚至另舉他人。這與康有為有所區別。康雖然說過「上不能救，則必自立」[37]，也有「定勤宗旨方易辦事」之外「定革宗旨方易集事」[38]的策略權衡，其心理障礙和利害計較使之更為依戀光緒，不肯放棄復辟。

實力不足而靈活務實的孫中山對於不同黨派聯合行動可以說一貫態度積極。他從來主張「聯絡四方賢才志士」[39]，早在1895年籌畫廣

---

36 《致辦事人書（二）》，上海文物保管委員會編：《康有為與保皇會》，第116-119頁。

37 《徐勤致康有為書》，上海文物保管委員會編：《康有為與保皇會》，第202頁。

38 上海文物保管委員會編：《康有為與保皇會》，第548-553頁。是為保皇會電報密碼中的辦事暗碼第434、435條。

39 《香港興中會章程》，廣東省社會科學院歷史研究室、中國社會科學院近代史研究所中華民國史研究室、中山大學歷史系孫中山研究室合編：《孫中山全集》第1卷，北京，中華書局1981年版，第22頁。

州起義時，就努力爭取維新派的支持，邀請康、梁及陳千秋等加入農學會。是年3月，孫中山拜訪日本駐香港領事中川恒次郎，請其援助即將發生的起義，聲稱統領有4人，康有為是其中之一。[40]此事固然是故作大言，也可以反映孫中山對維新派的態度。

廣州起義失敗後，興中會從兩條線試圖與康、梁一派建立聯繫。1896年2月，謝纘泰在香港與康廣仁等人會面，雙方討論了維新須聯合與合作的重要性。謝纘泰自稱一貫主張「聯合各黨派，統一中國」，極力勸告各政黨要聯合與合作以救中國。10月，謝纘泰又與康有為約見，討論了中國的政局，同意在維新工作中聯合與合作，由康有為擬定維新計劃大綱。次年3月和9月，謝纘泰與康廣仁兩度會談，建議召集兩派領導層開會，實行「對王朝和千百萬民眾都有好處的『和平』革命」。關於合作對象，康廣仁表示：

> 「像孫逸仙那樣的一些人使我驚駭，他們要毀壞一切。我們不能同這樣的輕率魯莽的人聯合。楊衢云是個好人，我想見見他。」

關於政治宗旨，康廣仁強調是「和平」革命，既非親滿，也不是「反朝廷的或革命的運動」。會談後，康廣仁赴上海向康有為、梁啟超彙報有關情況，謝纘泰則寫信通告在南非的楊衢雲。所得到的反應，梁啟超表示贊成聯合與合作，楊衢雲則從南非返回日本。這時維新運動進入高潮，受到清帝重用的康有為等人對興中會興趣不大，儘管康廣仁還想和楊衢雲會面，始終未能如願。

戊戌政變，康廣仁等六君子作了犧牲，謝、康主導的這一條聯合

---

40 《原敬關係文書》第2卷書翰篇，日本放送出版協會1984年版，第392頁。

路線遭受重挫。一方面，回到日本的楊衢雲不能不依靠孫中山、陳少白等人已經開創的局面，另一方面，梁啟超取代康廣仁，成為維新派主導聯合路線的中堅。兩派洽談聯合的主角自然變成孫中山和梁啟超。由於時勢和觀念有別，在同樣對合作持積極態度之下，梁啟超對孫中山瞭解較多而成見較少。早在1895年，他就函告汪康年：

> 「孫某非哥中人，度略通西學，憤嫉時變之流，其徒皆粵人之商於南洋、亞美、及前之出洋學生，他省甚少。……盍訪之，然弟度其人無能為也。」[41]

倫敦被難事件發生後，《時務報》譯載了英國和日本的有關報導，[42]梁啟超答覆詢問孫逸仙情況的章太炎道：「孫氏主張革命，陳勝、吳廣流也」，「此人蓄志傾覆滿洲政府」。[43]這對於國內有志之士衝破清政府的封鎖和歪曲，認識和瞭解孫中山，起了一定的作用。

其實，在謝纘泰之外，孫中山、陳少白等人也一直與維新派有所聯繫。1897年孫中山從歐美返回日本後，主動函邀梁啟超或其親信赴日「同商大事」，希望藉此瞭解中國現在情形。當時省港澳一帶的革命、變法兩派關係不錯，陳少白、區鳳墀等與康門弟子、澳門《知新

41 上海圖書館編：《汪康年師友書劄》（二），第1831頁。
42 《時務報》第14、15、17、19、21、28冊分別轉載《倫敦東方報》、日本《國家學會志》、《溫故報》的有關報導評論，如《某報館訪事與參參贊問答節略》、《英國律師論孫文被禁事》、《中國私會》、《論傳言英將控告孫文一案》、《論孫逸仙》、《論中國內腐之弊病》等。
43 章太炎：《口授少年事蹟》、《民國光復》，引自湯志鈞編：《章太炎年譜長編》上冊，北京，中華書局1979年版，第39-40頁。章氏稱其聞言應道：「果主張革命，則不必論其人才之優劣也。」其實梁啟超並無貶意，他曾致函嚴復：「然啟超常持一論，謂凡任天下事者，宜自求為陳勝、吳廣，無自求為漢高，則百事可辦。」林誌均編：《飲冰室合集・文集》之一，上海，中華書局1936年版，第107頁。

報》主筆何樹齡以及趙蘭生、張玉濤等有交。後者認為：「內有康有
為先生，外有孫逸仙先生，中國之事，還不能說是毫無希望。」[44]前
此孫中山雖然斷言康有為名聲太大，「斷不能來」，接到何樹齡的來
函，卻認為「信內所陳之意，必商之同志多人，並為康先生所許，方
敢發此言也。是則此意非一人之私，實中國群賢之公意也。」[45]

宮崎寅藏稱：「在當時，康有為和革命黨的關係是非常接近的」，
雙方都主張民權共和，康有為在萬木草堂有如盧梭，對門徒鼓吹以美
國的自由共和政體為理想，推薦他們閱讀中江篤介翻譯的《民約
論》、《法國革命史》、《美國獨立史》和《萬國公法》等書籍，又以華
盛頓為理想人物，還時以吉田松陰自任。[46]孫、康的分別在於：

> 「孫立基於西學，康則因襲漢學。一個受耶穌教的培養，一個
> 受儒教的教育。前者質而後者華。質則重實行，華則喜議論。
> 二者見解雖然一致，其教養和性格卻不同如斯。這就是孫所以
> 為革命的急先鋒，康所以為教育家的原因。」[47]

雙方合作的具體成果之一是橫濱大同學校，該校由陳少白髮起，
孫中山接手籌辦，他推薦梁啟超擔任總教習。經僑商持孫中山函往見
康有為協商，改派徐勤代替。[48]徐勤到日本之初，還與孫中山時相過
從，討論時政得失。

---

44 宮崎滔天著，佚名初譯，林啟彥改譯、注釋：《三十三年之夢》，第114-115頁。

45 《與宮崎寅藏等筆談》，《孫中山全集》第1卷，第180頁。

46 1899年2月18日宮崎寅藏致平岡浩太郎、犬養毅函，陳鵬仁：《論中國革命與先
烈》，臺北，大林出版社1973年版，第24-28頁。

47 宮崎滔天著，佚名初譯，林啟彥改譯、注釋：《三十三年之夢》，第116-117頁。

48 何塋一稱設學之議不聞發起於孫中山（丁文江、趙豐田編：《梁啟超年譜長編》，第
73頁），實則此事確由孫中山、陳少白等人而起（陳錫祺主編：《孫中山年譜長
編》，北京，中華書局1991年版，第152頁）。

　　戊戌變法令康有為一派青雲直上，也引起頑固派的嫉視，攻擊的口實之一，便是與革命黨的關係。有傳聞指徐勤到日本「與叛賊孫文設立大同會。自去年以來，人言嘖嘖，皆謂此輩謀為不軌。」[49]康有為害怕牽連變法大業，動搖已經取得的地位，函告徐勤與革命黨斷絕往來，言論也一改救亡圖存的慷慨激昂，一味歌頌聖君，讚揚新政。戊戌政變前夕，畢永年約井上雅二、平山周等人到譯書局會見康有為，「康但欲見井上，而不願見平山。謂平山乃孫文黨也」，連畢永年也覺得「殊可笑也」。[50]兩派在日本、廣東等地的聯繫頓時疏遠。革命黨「把他們看做是放棄了共和主義、投降異族帝王的變節分子。因而互相對抗，彼此傾軋，已達極點。」[51]

　　儘管百日維新之際康有為翻臉無情，戊戌政變後孫中山仍幾次登門拜訪。這時維新派對於合作一事態度分歧，康有為、梁啟超、唐才常各自不同。唐主張「孫、康兩派，亟宜犧牲小異，同力合作，如保皇或排滿名詞，皆可摒棄」[52]，得到孫中山的贊同，孫還表示：「倘康有為能歸皈依革命真理，廢棄保皇成見，不獨兩黨可以聯合救國，我更可以使各同志奉為領袖。」唐才常聞言大悅，願約梁啟超向康有為進言。[53]康有為則堅決不肯與革命黨來往。康有為到東京的次日，孫中山就要宮崎寅藏介紹與康會晤，為後者託詞拒絕。孫前後「三次造訪，康皆拒不見。後孫之友某日人與康筆談，偶及拒孫之故，康曰：

49　《福建道監察御史黃桂鋆摺》，國家檔案局明清檔案館編：《戊戌變法檔案史料》，北京，中華書局1958年版，第467頁。

50　畢永年：《詭謀直紀》，湯志鈞：《乘桴新獲——從戊戌到辛亥》，第26頁。

51　宮崎滔天著，佚名初譯，林啟彥改譯、注釋：《三十三年之夢》，第129頁。1899年2月18日宮崎寅藏致平岡浩太郎、犬養毅函稱：變法期間，「在野的革命黨才與他完全絕交，更罵他為賤骨頭的變節分子。」

52　唐才質：《自立會庚子革命記》，杜邁之、劉泱泱、李龍如輯：《自立會史料集》，第67頁。

53　馮自由：《革命逸史》初集，第74頁。

『我是欽差大臣，他是著名欽犯，不便與見。』蓋康是時方自稱奉衣帶詔也。」[54]

康有為拒絕孫中山的來訪，一則彼此宗旨不同，康依然眷戀於清帝，二則他自認為可以說服日本幫助光緒復辟，希望與和清廷勢不兩立的革命黨保持距離。這一指導思想在徐勤控制的橫濱大同學校得到貫徹。1898年12月7日，梁啟超訪問大同學校，受到師生的歡迎，在接待室與來訪者會談時，門口掛出「閒人免進」的牌子。[55]而孫中山前往大同學校，卻被擋了駕，據說還貼著「孫文到不招待」的字條，因而與校方發生口角。橫濱興中會員原來多為上層僑商，康、梁等人到日本後，紛紛倒戈，這時更指責孫中山，袒護徐勤，與孫中山一派勢成水火。

這一衝突擴大到整個橫濱華僑界。1899年1月，大同學校職員任期屆滿，支持興中會的一派華僑要求改選，擁護康有為的一派則主張連任，幾經衝突，由於孫派僅70餘人，康派達到300人，而且多為中等以上人家，最終結果興中會一派失去了原來的位置。日本人士因此對徐勤極為不滿，紛紛指責其攻訐孫中山，徐勤不得不致函宮崎寅藏自我辯解，函謂：

---

54 《欽差大臣》，《大陸》第2年第8號，1904年12月3日。《大陸》第2年第5號（1904年7月8日）刊登題為《敕詔》的寓言：「南海有鯤，嬖於龍，旋得罪於龍母，竄南洋，匿某鱗家。一日，有獭踵門求見，鯤辭之，如是者三。獺乃告鱗曰：『吾少游大西洋，見某洲一種族，以共和為主義，上下一體，其族大治。今吾族所居地位，大勢岌岌不可終日，吾欲與鯤謀，出翻江攪海之手段，鼓動大風潮，破壞龍宮，建設獨立廳，步武某洲。事成之後，誰為之長，自有公論。願為我介紹於鯤。』鱗乃告鯤，鯤力卻之。鱗問其故，鯤曰：『吾之宗旨，至死不變者也。吾得寵於龍，因欲保之，他日總有用我之期。且外間謠言，皆謂我潛謀不軌，倘從獺言，是所以證實其事，可奈何？』鱗出辭獺，獺怏怏而退。」

55 明治31年12月10日淺田神奈川縣知事致青木外務大臣秘甲第823號。

「前聞田野氏雲，貴邦人士咸疑僕大攻孫文，且疑天津《國民
〔聞〕報》所刊《中山樵傳》出自僕手。聞言之下，殊甚驚
異。僕與中山樵宗旨不同，言語不合，人人得而知之。至於攻
訐陰私之事，令人無以自立，此皆無恥小人之所為，僕雖不
德，何忍為之？而貴邦人所以致疑者，此必有一二人造為浮
言，以惑貴邦人聽聞耳。僕絕無此事也。今支那之局，譬之海
舟遇風，其勢將覆，而舟人猶復互相爭鬥，以任其溺滅，雖下
愚之人，不致若是。」[56]

值得注意的是，在拒絕孫中山的同時，康有為對楊衢雲、謝纘泰
的聯合請求卻給予積極回應。1898年12月，謝纘泰得知兩黨聯合有困
難，即致函康有為，力勸其在爭取自由和獨立的運動中應當聯合和合
作。康有為很快回信表示贊成。謝纘泰顯然希望康有為以楊衢云為主
要聯合對象，加強後者地位，以便與孫中山爭奪興中會的領導權。而
康有為則在以「維新」為聯合的基礎方面與謝存在共識。[57]

戊戌政變後，逃亡日本的康門師徒在宗旨和手段上出現分歧，對
與其它派別合作的認識也不一致。與康有為不同，梁啟超對於聯合一
事的態度要積極靈活得多。從1897年起，他對與興中會合作就一直予
以肯定，多次表態贊同，並願意就此向康有為進言勸說。康有為拒絕
會見孫中山之事為犬養毅所知，犬養欲促成兩派聯合，共任國是，特
於1899年2月邀請孫中山、陳少白、康有為、梁啟超4人到早稻田自己
的寓所會談。屆時康有為託故不到，梁啟超自稱派其為代表。雙方竟
夜長談，商議合作利弊及辦法，相當融洽。據說梁啟超對孫中山的言

56 馮自由：《中華民國開國前革命史》上編，第42-43頁。
57 謝纘泰著：《中華民國革命秘史》，《廣東文史資料‧孫中山與辛亥革命專輯》，第303
頁。

論異常傾倒，有相見恨晚之慨，答應與康有為商量後回覆。陳少白等人問以合作之後如何對待康有為，梁答稱惟有請其閉門著書，由我們出來做去。他要是不答應，只好聽之任之。

不久，陳少白奉孫中山之命與平山周回訪。康有為雖與梁啟超等人出見，仍堅持保皇宗旨，話不投機。其間在座的王照又忽然聲稱被人監視約束，後來更在平山周等人幫助下抖出康有為作偽衣帶詔的內幕，康有為因此遷怒於革命黨，雙方關係更加緊張。但維新派內部仍然有人希望回應合作的動議。3月初，歐榘甲到東京對陽館宮崎寅藏寓所，托其約孫中山商量合作事宜。孫中山同意於3月3日來見。雙方討論良久，歐凡事均須請示康有為，不能做主，會談毫無進展。孫中山表示「已應言盡言，倘能如弟言去辦，則於中國前途大有補益也。余則非弟力所能及，似可毋容再見。」[58]

正當合作之事陷入僵局之際，康有為被日本政府要求離境，於1899年3月22日前往加拿大。[59]這給兩派合作帶來轉機，成為維新派在日核心的梁啟超顯然加快了合作的步伐。1899年3月28日，梁啟超致函謝纘泰，通知其康有為離日赴美，同時，表示贊成聯合與合作的主張。4月23日，楊衢雲函告謝纘泰：「康有為黨的成員同意聯合與合作，日本朋友和支持者亦曾勸告兩黨聯合起來。」5月1日，孫中山到東京訪梁啟超不值。6月，楊衢雲和梁啟超在橫濱文經商店會晤，儘管梁啟超表示現在還不願意同革命黨合作，卻與楊約定繼續做好各自

---

58 1899年4月1日《復宮崎寅藏函》，《孫中山全集》第1卷，第186頁。

59 康有為離日，原因甚多。其一，伊藤博文訪華時，李鴻章提到日本保護清國流亡者，對外交有所影響（明治31年12月23日東京警視總監大浦兼武致青木外相乙秘第932號）。其二，1898年11月日本憲政黨與進步黨分裂，大隈內閣瓦解，山縣有朋的新內閣對流亡者的興趣降低，不願因此影響邦交。其三，繼續接濟康有為的進步黨和東亞同文會中的有關人士，認為保皇成功的可能性不大，希望兩黨合作進行反清（詳見陳錫祺主編：《孫中山年譜長編》，第175-177頁）。

黨派的工作。這次兩黨領導人的會晤結果令謝纘泰大失所望，不過此後孫中山與梁啟超的交往一直延續，頻繁互訪，就辦事宗旨、方略、社會經濟理論等事多次在橫濱《清議報》館、文經商店、東京上野精養軒會晤，各傾肺腑，開懷暢談。

前此楊衢雲指責「康有為黨太傲慢，妒忌我們這一班貫通中英的學者。他們不願意同我們平等相處，他們一心想控制我們，或者要我們服從他們。」據說好幾位博學的湖南人對他們作過類似的評述。[60]孫中山與梁啟超晤談中，坦誠批評其「狹隘」、「盈滿」，並於宗旨方略有所進言。對此梁啟超答稱：

> 「自問前者狹隘之見，不免有之，若盈滿則未有也。至於辦事宗旨，弟數年來，至今未嘗稍變，惟務求國之獨立而已。若其方略。則隨時變通，但可以救我國民者，則傾心助之，初無成心也。」[61]

7月8日，梁啟超還在橫濱介紹來訪的章太炎與孫中山相識。這可以說是彼此來往最為密切，交談也最為深入的時期。

與維新派的聯繫對孫中山及革命黨的事業產生了一定的影響。首先，通過梁啟超創辦的東京高等大同學校，孫中山開始與留日學生接觸。該校學生來自湖南時務學堂和橫濱大同學校、神戶同文學校，教材多用英法名儒之自由平等天賦人權諸學說，學生高談革命，各以歐美革命家相期許，並與其它各校留學生時相聚談，成為留學界的政治

---

60 謝纘泰著：《中華民國革命秘史》，《廣東文史資料・孫中山與辛亥革命專輯》，第303頁。

61 馮自由：《中華民國開國前革命史》上編，第44-45頁。

中心。[62]

　　其次，充實和完善革命理論。過去興中會缺少飽學之士討論各種革命和建設的理論問題，孫中山多與外國友人切磋，難以得到國內學者映證。在與梁啟超的交往中，孫中山談及土地國有、耕者有其田的主張，梁啟超認為「頗有合於古者井田之意，且與社會主義之本旨不謬」[63]，進一步促使孫中山注意中國歷代的相關土地問題。

　　再次，開始重視宣傳。興中會成立以來，一直沒有正式宣傳機關，也缺乏適宜人才，而康、梁等人到日本剛剛兩個月，就開辦《清議報》，繼續政治宣傳。有鑑於此，孫中山於1899年4、5月間派陳少白回港籌款辦報，[64]後來陳少白在港接收維新派的《通報》，開辦《中國報》，擔任筆政的楊肖歐原來也屬於維新派的《嶺海報》。儘管《中國報》開始還有較濃厚的維新色彩，畢竟是興中會獨立進行輿論宣傳的開端。

　　雙方的交往促使保皇會中的一些激進分子傾向於反滿革命，與孫中山的政治立場有所接近。1899年秋季，基於聯合大舉的共識，兩派開始接洽組織結合。關於此事，馮自由有如下記述：

> 「梁啟超因與中山往返日密，漸贊成革命，其同學韓文舉、歐榘甲、張智若、梁子剛等主張尤形激烈。於是有孫、康兩派合併之計劃，擬推中山為會長，而梁副之。梁詰中山曰：『如則將置康先生於何地？』中山曰：『弟子為會長，為之師者，其

62　馮自由：《中國革命運動二十六年組織史》，上海，商務印書館1948年版，第37-38頁。

63　飲冰：《雜答某報》，《新民叢報》第4年第14號，1906年9月3日。

64　1899年5月12日陳少白致犬養毅函，《辛亥革命史叢刊》第3輯，北京，中華書局1981年版。

地位豈不更尊？』梁悅服。於是由梁草擬一上南海先生書，文長數千言，略謂：『國事敗壞至此，非庶政公開，改造共和政體，不能挽救危局。今上賢明，舉同共悉，將來革命成功之日，倘民心愛戴，亦可舉為總統。吾師春秋已高，大可息影林泉，自娛晚景。啟超等自當繼往開來，以報師恩。』」[65]

署名者同門13人。書去後，各地康徒為之譁然，指此13人為逆徒，呼之為「十三太保」。除梁啟超外，其餘12人為韓文舉、歐榘甲、羅普、羅伯雅、張智若、李敬通、陳侶笙、梁子剛、譚柏生、黃為之、唐才常、林圭。不久梁啟超至香港訪陳少白，談兩黨合併事，推陳及徐勤起草聯合章程。徐勤陽為贊成，而陰實反對，因與麥孟華各馳函新加坡，向康有為告變，謂卓如漸入行者圈套，非速設法解救不可。康有為得勸退書，已怒不可遏，接徐、麥二人函，立即派葉覺邁攜款赴日，勒令啟超即往檀香山辦理保皇會事務，不許稽延。復令歐榘甲赴美國任三藩市《文興報》主筆。13人團體無形消滅，孫、康合作之局亦隨之瓦解。[66]

此事言之鑿鑿，但破綻不少。首先，梁啟超離開日本去美洲，早在計劃之中。1899年5月2日，梁啟超接康有為來函，「極言美洲各埠同鄉人人忠憤，相待極厚，大有可為。而金山人極仰慕我，過於先生。今為大局計，不得不往」[67]。所以他在《汗漫錄》中說：「吾之遊美，期以六月，今背秋涉冬，始能成行，濡滯之誚，固知不免。」[68] 至於其決定12月20日出發，直接原因是10月下旬康有為到日本時，被

65 馮自由：《中華民國開國前革命史》上編，第44頁。

66 馮自由：《革命逸史》第2集，第29-30頁。

67 1899年5月3日《與蕙仙書》，丁文江、趙豐田編：《梁啟超年譜長編》，第178頁。

68 《清議報》第35冊，1900年2月10日。

日本政府禁止上岸，此事引起康有為的強烈不滿，梁啟超等人覺得不可能依靠日本朝野達到志望，準備和東京等大同學校中的有志師生前往美洲進行活動，主要目的是發展組織和籌集款項，梁啟超認為這是中國存亡的一大關鍵。[69]其航行路線為經檀香山到美國大陸，預計在美國大陸停留半年。[70]而歐榘甲離開橫濱在11月8日，原因是10月27日由他主筆的《清議報》館火災被毀，前往香港和康有為商議後續。[71]以後轉赴加拿大。

其次，康有為移駐新加坡，在1900年1月下旬，其時梁啟超已經赴檀香山。而在此之前，梁啟超並未前往香港。

其三，所謂「十三太保」中的羅普，梁啟超指其從來不言革命，所以得到康有為的信任和賞識。[72]而徐勤雖然與孫中山關係緊張，對於革命之說似乎尚無成見，1900年6月康有為指其和梁啟超一樣「近來驕謬專橫已極，無事不如此」[73]，1902年4月，他又和梁啟超先後向

---

69 明治32年10月26日淺田神奈川縣知事致青木外相秘甲第523號、同日大森兵庫縣知事致青木外相兵發秘第514號、10月27日警視廳致外務省第1010號、10月28日淺田神奈川縣知事致青木外相秘甲第530號、同日深野福岡縣知事致青木外相高秘第1511號、12月6日淺田神奈川縣知事致青木外相秘甲第624號。均見久保田文次：《清末・民國初期，日本にぉける中國革命派・變法派の活動》，1989年自印本，第55-62頁。1899年12月5日，梁啟超與周善培訪問近衛篤麿，告以即將訪美（狹間直樹：《中國近代における日本を媒介とする西洋近代文明の受容に関する基礎的研究》，1997年自印本，第21頁）。

70 明治32年12月20日淺田神奈川縣知事致青木外相秘甲第625號。

71 明治32年11月8日淺田神奈川縣知事致青木外相秘甲第551號、11月10日大森兵庫縣知事致青木外相兵發秘第542號、11月14日長崎縣知事致青木外相高秘第513號。1900年2月，麥孟華到橫濱繼任《清議報》主筆（狹間直樹：《中國近代における日本を媒介とする西洋近代文明の受容に関する基礎的研究》，1997年自印本，第20頁）。

72 1903年4月1日《與勉兄書》，丁文江、趙豐田編：《梁啟超年譜長編》，第318頁。

73 1900年6月27日《致徐勤書》（一），上海市文物保管委員會編：《康有為與保皇會》，第132頁。

康有為進言，主張「言革」[74]，兩人交誼不錯，否則梁啟超也不會請他寫合作章程。正因為存在種種疑點，《梁啟超年譜長編》的簽注者中才有人指馮自由「捏造無端事實，詆毀不遺餘力，……故彼所書關於與任師有關之事，均不足據，似宜盡刪之。」[75]近年來論者也指出此說頗靠不住。[76]

不過，一口否定馮自由的記載還略嫌草率。馮自由各書雖有不盡不實之處，的確保存不少真相，甚至一些乍看似不可思議處最後證明反而是信史。此事馮並非親歷，不免有道聽塗說，捕風捉影的痕跡，而保皇會在有關戊戌變法、庚子勤王、與權臣關係等事上有意歪曲作偽，已是不爭的事實。不過，毀屍滅跡難以徹底，仔細搜尋，發現確有不少蛛絲馬跡。

梁啟超到檀香山10日後，致函孫中山，稱：

> 「弟此來不無從權辦理之事，但兄須諒弟所處之境遇，望勿怪之。要之我輩既已訂交，他日共天下事必無分歧之理，弟日夜無時不焦念此事，兄但假以時日，弟必有調停之善法也。」[77]

此函於相關人事記載確實，不似造假。與雙方「訂交」相關之事有紅葉館送別會以及孫中山作書介紹梁啟超於其兄德彰及諸友，如果事先沒有協議，這些言行過於突兀，難以解釋。至於馮自由所說「十三太保」，很可能由「江島十二郎」演變而來。1899年7、8月間，梁啟超和韓文舉、李敬通、歐榘甲、梁啟田、羅伯雅、張智若、梁子

---

74 丁文江、趙豐田編：《梁啟超年譜長編》，第286-287頁；《徐勤致康有為書》，上海市文物保管委員會編：《康有為與保皇會》，第200-202頁。

75 丁文江、趙豐田編：《梁啟超年譜長編》，第180-181頁賈毅安注。

76 李吉奎：《孫中山與日本》，廣州，廣東人民出版社1996年版，第84-87頁。

77 馮自由：《中華民國開國前革命史》上編，第47頁。

剛、陳侶笙、麥仲華、譚柏生、黃為之同結義於鐮倉江之島的金龜樓。[78]這12人按敘齒依次稱「江島幾郎」，均為政治情緒較為激烈之人。此事顯然和與革命黨合作密切相關。羅伯雅素與廣西山賊及南海西樵巨盜區新、傅贊開交往，曾鼓動前來萬木草堂的田野桔次共赴廣西，率同黨四百人，「合湖南之大隊以進中原」，「一試其屠龍之技」[79]。張智若直到1902年仍堅持赴廣西聯絡民黨頭目，發動起義。[80]歐榘甲先後在《清議報》、《文興報》肆意言革，一度被康有為開除。

　　馮自由稱韓文舉、歐榘甲、羅伯雅、張智若、梁子剛等與孫中山往還日密，並非無中生有。1899年秋梁啟超函告孫中山：「昨得剛兄

---

78 羅孝高：《十二人江之島結義考》，丁文江、趙豐田編：《梁啟超年譜長編》，第180頁。時間參見狹間直樹：《中國近代における日本を媒介とする西洋近代文明の受容に関する基礎の研究》，1997年自印本，第17頁。

79 田野桔次：《最近支那革命運動》，第66頁。

80 庚子以後，保皇會發動武裝勤王的活動持續了相當長的一段時間。1902年梁啟超致函美洲保皇會同志，告以「廣西民黨現據南寧州，現香港我會派有數人在彼主持，然軍火甚乏，現時尚難望大成。」（方志欽主編：《康梁與保皇會——譚良在美國所藏資料彙編》，天津古籍出版社1997年版，第105頁）同年徐勤函告康有為：「廣西之事智若與紫池十人直往龍州、南寧等處，聯絡其頭目，事成或不成，然智若破家為之，拼死為之，誠可敬也。來各埠函切勿言西事之無用，若智若等知之，則大失其心矣。」（上海市文物保管委員編：《康有為與保皇會》，第201頁）智若，即張學璟；紫池，疑為羅璞士（孝通），1901年6月3日梁啟超致康有為函中有「續得孝入桂之電，再行加捐，僅得二百鎊矣。」（丁文江、趙豐田編：《梁啟超年譜長編》，第261頁）1902年9月23日保皇會總會的何廷光（穗田）、王覺任（鏡如）等致函美洲保皇會分會，中謂：「本月初十日，張、羅兩君由南寧回，述及官兵始終未嘗與遊勇開仗，所報斃若干人，奪得槍械若干枝，皆是統帶冒認勝仗，欺蒙公司也。惟六月廿間馬盛治親率千人往馬鞍山圍剿，該黨預伏兵於樹林之間，俟馬盛治過，即放槍轟之，當堂斃命，並殺斃官兵百數十人。若使該黨槍炮充足，此一千人皆無命回也。現新任巡撫王之春不敢進兵，只駐梧州，商量剿撫之法，一因兵餉不足，一因山路崎嶇也。惟惜該黨各立頭目，各行各事，未能聯成團體，以與軍兵相抗，恐無濟事耳」。（方志欽主編：《康梁與保皇會——譚良在美國所藏資料彙編》，第145-146頁）

（即梁子剛）由橫濱寄上兄一書約踐舊遊，剛兄有事不能赴約，令弟自往。」[81]1900年6月27日康有為函告徐勤：「卓近經痛責後，來書引過。然如去年事，及言保皇會而謂嗤之以鼻，汝等近來不敬如此」[82]。1902年康有為因「近得孟、遠決言革命」，覆函稱：「記己亥汝責遠之決絕，且安有身受衣帶之人而背義言革者乎！今不三年，汝又從洞若矣。」[83]1903年5月梁啟超致徐勤函稱：「長者所以偏信港中之言者，固有曾參殺人，浸潤易入，亦由弟等前此言革，觸其盛怒故也。以後兄請勿言。孝高以不與江島之盟，不倡狂言革，故長者獨信之、愛之」，則江島之盟與言革之事實有密切關係。[84]1900年4月4日梁啟超致函黃為之，批評「吾江島人物歸去者便輒頹唐，更無布置，有數人皆前車矣。想來總是志氣不定，脊骨不堅之所致。如此安能任大負重？今日之事，責在我輩，真當每日三省，時時提起，不使有一毫懶散，乃有可成。詩酒悠悠一語，勿使飛天頭陀笑我到底也。」[85]可見此事確與同革命黨合作有關，因而彼此之間也有競爭。

作為當事人之一的陳少白關於此事的記載提供了另一種可信度較高的說法，即其從日本回香港時，梁啟超托其帶信給康有為，勸康與革命派合作，信由梁啟超和幾個同學反覆商量後起草，交給康有為，

---

81 馮自由：《革命逸史》初集，第64頁。

82 上海文物保管委員會編：《康有為與保皇會》，第133頁。「去年事」疑指梁啟超以數萬言之書進呈康有為，反對保皇會明辦（1900年4月29日《致雪兄書》，丁文江、趙豐田編：《梁啟超年譜長編》，第238頁），或是陳少白帶去香港的勸康有為與革命黨合作函（陳少白：《興中會革命史要》，中國史學會主編：《中國近代史資料叢刊・辛亥革命》第1冊，第63頁）。

83 1902年6月3日《致歐榘甲等書》，上海文物保管委員會編：《康有為與保皇會》，第157頁。按此函收信人不會是歐榘甲。

84 丁文江、趙豐田編：《梁啟超年譜長編》，第317頁。所謂「言革」，主要指1902年4月梁啟超、徐勤等人向康有為進言以革命為宣傳口號事，但1899年已有言革之人。

85 丁文江、趙豐田編：《梁啟超年譜長編》，第212頁。

卻沒有下文。後來梁啟超從外國到香港，用日本人的名字，住在酒店，請其前往討論合作，結果圓滿。復讓陳少白和在香港的徐勤擬定合作章程，梁並專函交代徐勤。陳少白找徐勤商議，不了了之。[86]

　　陳少白於1899年11月9日和宮崎寅藏由香港抵達橫濱，向孫中山報告興漢會成立情形並呈印璽，其間出席了紅葉館送別會，見過梁啟超，19日出發赴香港。[87]梁啟超去檀香山，是用柏原文太郎的護照，至於到香港之事，雖然《汗漫錄》沒有記載，但到檀後仍有秘密來港的可能。丘琮《倉海先生丘公逢甲年譜》記，庚子春（應為己亥冬），丘逢甲在香港與康有為、梁啟超、唐才常、陳騰風等合攝持刀並立小照。康有為於舊曆十二月二十七日（1900年1月27日）赴新加坡，唐才常亦於1900年1月8日到港籌款，[88]則其間梁啟超或曾秘密到港，協商大計。[89]

　　儘管如此，梁啟超似不可能直接向康有為進言勸退。如果其真有此類「欺師滅祖」的言行，以康有為的性格及其對待弟子的氣勢，師徒早已公開決裂。1902年康有為以弟子紛紛言革，決然宣稱：「總之，我改易則吾叛上，吾為背義之人，汝等必欲言此，明知手足斷絕，亦無如何，惟有與汝等決絕，分告天下而已。」[90]由此可見，當

---

86 陳少白：《興中會革命史要》，中國史學會主編：《中國近代史資料叢刊‧辛亥革命》第1冊，第63頁。參見李吉奎：《孫中山與日本》，第86-87頁。

87 明治32年11月13日淺田神奈川縣知事致青木外相秘甲第564號、11月21日秘甲第589號。

88 唐才質：《唐才常烈士年譜》，湖南省哲學社會科學研究所編：《唐才常集》，北京，中華書局1980年版，第274頁。

89 郭漢民《〈唐才常集〉辨誤一則》（《近代史研究》1986年第3期）力證梁啟超到港之事子虛烏有，但康有為、唐才常當時確在香港，陳少白所說亦多內情相符，則此事仍須深究。

90 1902年6月3日《致歐榘甲等書》，上海文物保管委員會編：《康有為與保皇會》，第157頁。

時梁啟超等人確有傾向革命之意，也向孫中山表達過合作願望，甚至可能達成某種協議，至於上書康有為，或如陳少白所說，只是要求合作，而不涉及勸退和改變宗旨。

梁啟超向康有為提出宗旨權通問題，應是1900年4月12日致函後者談及：

> 「（光緒）萬一不能待我之救，則彼時當何如？討賊固也，然賊雖討，而上已不諱，則主此國者誰乎？先生近日深惡痛絕民主政體，然果萬一不諱，則所以處此之道，弟子亦欲聞之。」

對此康有為堅持「但當言開民智，不當言興民權」，反對鼓吹自由，還屢引法國大革命為鑒。梁啟超直言抗辯，指責康有為的言論與張之洞相類，堅持不放棄自由主張，稱之為「今日救時之良藥，不二之法門」，「於天地之公理與中國之時勢，皆非發明此義不為功也。」[91]要求合作、江島結盟以及主張改變方針，雖然不至於清理門戶，梁啟超確有失寵於康有為的跡象，在相當長的一段時間裏，康有為只讓他到海外籌款，而不許擔當勤王運動的組織大任，甚至對其主動請纓也置之不理。

關於梁啟超與興中會合作及其傾向革命的動機，歷來備受爭議。就在兩派積極商談合作之際，興中會在橫濱華僑中的陣地被保皇會迅速奪占。1899年1月橫濱大同學校職員改選，革命黨已在中華會館失勢，鑒於橫濱華僑中對興中會一派的排擠日甚一日，孫中山懷疑梁啟超從中作祟。梁啟超辯解道：「橫濱之人，或有與孫不睦者，其相軋之事，不知如何，而極非僕等之意矣。孫或因濱人之有違言，而疑出

---

91 丁文江、趙豐田編：《梁啟超年譜長編》，第221、234-237頁。

於僕等，尤非僕所望矣。」他請犬養毅作調人，願意當面向孫中山、陳少白等解釋「蹤跡不得不疏之故」[92]。此後梁啟超組織華人商業會議所，欲以課會費的方式籌集款項，7月30日會所告成，完全排除革命黨，引起後者的強烈不滿，遂以「橫濱闔埠不平人」的名義發佈公啟，以示抗議[93]，又是由犬養毅出面邀集兩派領導人進行調停。

早在1904年，《大陸》就載文指責梁啟超用心險惡：

> 「戊戌政變，梁著胡服走日本。時孫文客東京，交結日之權貴，如大隈伯、犬養毅等常與往還，孫氏供給，皆為是賴。梁初抵東京，不得不通款於孫氏，遂由孫氏之介紹，得納交大隈伯等。未幾即疏孫氏，且向大隈伯等下孫氏之石焉。……又由徐（勤）得納交橫濱商人，商人固素崇拜孫氏者也，梁至是更排擠之，無在不攻擊其短，於是孫氏日東之一席，一旦為梁所奪，梁因此得遍遊美洲、澳洲，無一日之困乏。」[94]

到檀香山後，梁啟超利用孫中山的關係，挖興中會的牆角，又催促港澳同門加緊籌備，與興中會爭奪廣東，以免「廣東一落其手，我輩更向何處發韌乎？此實不可不計及，不能徒以行者毫無勢力之一空言可以自欺也。」[95]他還讓葉湘南派人暗察孫中山的調度計劃，辦事用人，也處處顧及是否有利於和興中會競爭。例如他以檀香山「保皇會得力之人大半皆行者舊黨，今雖熱而來歸，彼心以為吾黨之人才勢

92 《梁啟超與犬養毅筆談》，湯志鈞：《乘桴新獲——從戊戌到辛亥》，第406頁。

93 明治32年7月31日淺田神奈川縣知事致青木外相秘甲355號、8月4日秘甲第367號、8月12日秘甲第380號、8月30日秘甲第404號。

94 《中國大生計家與大文學家》，《大陸》第2年第8號，1904年9月29日。

95 1900年3月13日《與夫子大人書》，丁文江、趙豐田編：《梁啟超年譜長編》，第201頁。

力，遠過於彼黨耳。」若一旦發現興中會「在港頗眾」，而保皇會辦事無人，「失意於吾黨而不分，返檀必為行者用。吾賠了夫人又折兵，徒使行將軍大笑，而回光鏡一度返照到檀，全域可以瓦解」[96]，因而堅持不派或少派檀島會員赴港。

不過，種種對梁啟超的猜疑指責，均建立在其從宗旨到組織全面歸附革命黨的假定之上，如此，則梁啟超對孫中山的表態，的確別有用心。其實他本人講得十分清楚坦然：「至於辦事宗旨，弟數年來，至今未嘗稍變，惟務求國之獨立而已。若其方略。則隨時變通，但可以救我國民者，則傾心助之，初無成心也。」[97]與興中會合作，接受排滿革命旗號，無非是有利於獨立民權而已。就行動方略而言，梁啟超支持唐才常等人的長江、珠江聯合大舉計劃，與孫中山等人接洽合作，正是其中的一個部分。此舉既是合作而非歸附，所以要考慮保皇會在聯合中的地位與利益，這也是他挖興中會牆角的主要原因。從聯合大舉的角度來看梁啟超的言行，雖有方略變通，甚至在師尊同門的牽制和派系利益的作用下，還有暗中競爭的一面，宗旨卻是一以貫之。與興中會爭奪華僑和廣東的同時，他對保皇會的方針行動也不以為然，呼籲本派同人摒棄私心，不分畛域，切實支持唐才常的大舉計劃。[98]

1900年1月24日，清廷頒佈立嗣上諭，舉國震動。1月26日，經元善等紳民1231人聯名電請代奏，諫阻光緒退位，海外各地華僑紛紛通電反對立嗣，形成一次全球性的華人政治動員。梁啟超一面表示要勉

---

96 1900年4月29日《致南海夫子大人書》，丁文江、趙豐田編：《梁啟超年譜長編》，第233頁。

97 馮自由：《中華民國開國前革命史》上編，第44-45頁。

98 參見拙著《清末新知識界的社團與活動》（北京，讀書・生活・新知三聯書店1995年版）第3章《勤王運動中各政治團體的關係》。

力仿傚,「竭力募化,以助內地諸豪」[99],一面考慮如何利用時勢,調整方略。1900年4月28日,即在向康有為提出萬一光緒不諱,可否民主建政的半個月後,梁啟超致函孫中山,認為「廢立事起,全國人心怳動奮發,熱力驟增數倍,望勤王之師,如大旱之望雨。今若乘此機會用此名號,真乃事半功倍。此實我二人相別以來,事勢一大變遷也。」他主張通國辦事之人當合而不當分,「既欲合,則必多舍其私見,同折衷於公義,商度於時勢,然後可以望合。夫倒滿洲以興民政,公義也;而借勤王以興民政,則今日之時勢,最相宜者也。」建議孫中山「宜稍變通」,「草創既定,舉皇上為總統,兩者兼全,成事正易,豈不甚善?何必故畫鴻溝,使彼此永遠不相合哉。」鑒於各派分散起事,「屢次鹵莽,旋起旋蹶,徒罄財力,徒傷人才」,梁啟超勸孫中山將近日所布置之事推遲半年,待其設法借款千萬,「我輩握手共入中原」,「大助內地諸豪一舉而成」。[100]

孫中山收到來函,沒有停止其華南行動的準備,興中會的起義密謀仍然密鑼緊鼓地進行,但又不如後人所推斷,兩黨聯合即告失敗,孫中山從此打消了與保皇會合作的念頭。種種跡象表明,孫中山很可能接受了梁啟超的建議,同意聯合大舉使用「借勤王以興民政」的方略,不再以皈依革命作為合作的先決條件。儘管他深知康有為態度頑固,彼此宗旨分歧,還是決定遠赴南洋,「會見康有為,就當前中國的問題徵詢他的意見,並向他提出我的勸告。不錯,我志在驅逐滿洲人,而他支持年青的皇帝。我希望與他磋商,為我們共同路線上的聯合行動作出安排」[101],勸其勿「以區區小事而分立」,趁此良機,「實

99 1900年3月28日梁啟超來書,上海圖書館編:《汪康年師友書劄》(二),第1870頁。

100 丁文江、趙豐田編:《梁啟超年譜長編》,第258頁。

101 《與斯韋頓漢等的談話》,《孫中山全集》第1卷,第195頁。會見康有為的動議,
     宮崎寅藏稱是路經香港時由他提議,得到孫中山和同行諸人的贊同(宮崎滔天

行大同團結，共同行動，以糾集大批同志」。[102]他還派宮崎寅藏、清藤幸七郎等人先期前往新加坡與康有為接洽。

不料，宮崎寅藏等人到新加坡後，康有為拒不相見，致使宮崎等人被疑為前來暗殺康的「刺客」而被捕入獄。此事康有為在致其女及柏原文太郎函中委過於林文慶，[103]無論真相如何，康有為的擔憂確是空穴來風，事出有因。戊戌政變後，保皇派和清廷互相實行暗殺，衝突愈演愈烈。從1899年1月起，不斷有清廷派遣刺客到日本行刺康有為的消息。[104]1899年底和1900年初，清廷又兩度發佈上諭，懸賞購線，公然鼓動對康、梁實行濫殺。[105]而孫中山的確牽連其中。1899年7月，劉學詢以考察商務名義到日本接洽「交康」之事，其間與孫中山有所接觸。後來李鴻章命劉學詢負責除康，而劉則試圖利用孫中山達到目的。[106]孫中山雖然未必真的採取了應合的行動，卻也沒有表示拒絕，企圖利用這一聯繫從李鴻章、劉學詢手中獲取興中會最為缺乏的財政援助。1900年6月路經香港，孫中山還派人前往廣州與劉學詢會談有關事宜，而宮崎寅藏等正是談判代表。[107]本來就杯弓蛇影的康

著，佚名初譯，林啟彥改譯、注釋：《三十三年之夢》，第181-182頁）。但孫中山離開日本之前，已經有赴新加坡會見康有為的計劃（明治33年6月10日兵庫縣知事大森鍾一致青木外相兵發秘第300號）。

102 明治33年7月21日福岡縣知事深野一三致青木外相高秘第770號。

103 1900年8月11日《與同薇書》，上海文物保管委員會編：《康有為與保皇會》，第177頁；東亞同文會編：《續對支回顧錄》下卷，東京，原書房1973年版，第653頁。

104 明治32年1月21日警視廳致外務省乙秘第109號；4月24日大浦警視總監致青木外相甲秘第80號；10月27日警視廳致外務省乙秘第1010號。

105 朱壽朋編，張靜廬等校點：《光緒朝東華錄》，北京，中華書局1958年版，第4454、4470-4471頁。

106 參見李吉奎：《孫中山與劉學詢》，中山大學學報編輯部編：《孫中山研究論叢》第5集，1987年。

107 參見邱捷：《孫中山上書李鴻章及策動李鴻章「兩廣獨立」新探》，中山大學學報編輯部編：《孫中山研究論叢》第7集，1990年。

有為不斷接到各方面傳來的訊息，進一步加強防範也在情理之中。

　　經此一事，孫中山似乎對康有為已經絕望，認為：「大概除了康黨以外，都能夠結成一體。」[108]兩派在香港的人士互相攻擊，不遺餘力，興中會將主要精力放到發動華南起義及策劃兩廣獨立等方面。恰在這時，中國的形勢發生劇變，原來支持孫中山的日本各派人士紛紛改變態度，經費奇缺的興中會無法舉事。而漢口自立軍卻發動在即，唐才常向康有為要求：「起義時為領袖者必須身入軍中以資鼓勵」[109]。梁啟超接到新加坡、上海、香港、日本等地函電多件，皆催其即日歸國辦事，不可少延貽誤，知道「必是起義在即，有用著弟之處」，立即改變行程，於1900年7月18日搭「日本丸」東返。臨行致函孫眉，告以「弟此行歸去，必見逸仙，隨機應變，務求其合，不令其分，弟自問必能做到也。」[110]7月28日，梁啟超抵達日本，8月18日由神戶出發前往上海，其間除走訪柏原文太郎、近衛篤麿、伊藤博文等人外，[111]曾在東京與孫中山會面，「為孫有能力而無同志感到可惜」[112]。

　　這時孫中山因廣東經略受挫，處境艱難，「心中對南方之事似早已感到絕望，想親自在中央地區掀起波瀾」[113]，決定暫停廣東行動，親赴上海。臨行前發表談話，表示：「在中國的政治改革派的力量中，儘管分成多派，但我相信今天由於歷史的進展和一些感情因素，照理不致爭執不休，而可設法將各派很好地聯成一體。」甚至對一度

108　《與斯韋頓漢等的談話》，《孫中山全集》第1卷，第196頁。

109　丁文江、趙豐田編：《梁啟超年譜長編》，第245頁梁仲策簽注。

110　馮自由：《革命逸史》第2集，第5頁。

111　狹間直樹：《中國近代における日本を媒介とする西洋近代文明の受容に関する基礎的研究》，1997年自印本，第23頁。

112　《井上雅二日記》，近藤邦康：《井上雅二日記——唐才常自立軍蜂起》，《國家學會雜誌》第98卷第1、2號合刊。

113　宮崎滔天著，佚名初譯，林啟彥改譯、注釋：《三十三年之夢》，第116-117頁。

感到絕望的康有為也改變看法，認為：「對國內的李鴻章等各總督以及康有為一派也應重視，暗中聯絡。」他聲稱此行「不抱任何危險激烈的企圖，而是考慮始終採取溫和的手段和方法」，並一再強調自己的行動與梁啟超的一致性，「已離神戶前往上海的梁啟超，大概也是抱著類似的想法而成行的」[114]。實際上此行目的是準備自立軍大舉後相機加入或響應。

　　梁啟超抵滬次日，自立軍起義失敗的惡耗已至，他表示：「目前，兩廣的活動將與孫文派一同進行，認為「將來必定要聯合行動的」[115]。不過，梁啟超「舉此大事，非合天下之豪傑，不能為功」的見識以及「闊達大度，開誠布公」的方針「最為同門所不喜，而南海亦不甚許可」。[116]據東亞同文會在澳門的會員松岡好一報告，惠州起義前後，興中會員不斷前往澳門保皇會總局所在的《知新報》報館，要求合作，以爭取其財政援助，遭到拒絕，為此興中會員抱怨康黨的無情。[117]興中會的最大弱點是財政不足，而保皇會擁有大筆海外捐款，這應是孫中山鍥而不捨地尋求合作的重要原因。由於康有為頑固反對，其努力終究未能奏效。

　　不僅如此，惠州起義及史堅如謀炸兩廣總督德壽失敗，康有為非但不表示同情，反而落井下石，以攻訐興中會為保皇會開脫舉事不力的責任。他致函邱菽園稱：

　　　　「史堅如及區兆甲（惠事），皆孫黨也，而冒僕弟子，致諸報

114　《與橫濱某君的談話》，《孫中山全集》第1卷，第198-199頁。

115　《井上雅二日記》，近藤邦康：《井上雅二日記——唐才常自立軍蜂起》，《國家學會雜誌》第98卷第1、2號合刊。

116　1900年2月28日《與知新同人書》及何擎一簽注，丁文江、趙豐田編：《梁啟超年譜長編》，第207-208頁。

117　松岡好一：《康孫兩黨之近情》，《東亞同文會第13回報告》，1900年12月。

輾轉登之，望貴報辨明，否則同門之見疾於人，而致禍益劇烈。史率攻吾黨四十餘人，可惡甚，致今防戒極嚴，查搜益密，攻擊更甚。羅□□今竟被拿，必死矣，此子勇猛無前，惜哉痛哉！於是翼大為其鄉人所攻，致共寄頓之械多致發露，輪不能行，械不能運，皆惠事及焚撫署一事所牽致，然此禍日益劇烈，與江無異。故惠與撫署一事，皆彼黨欲圖塞責，且以牽累吾黨，遂致吾黨大為其累。今粵中黨禍，大索麥舍，親家已沒，餘皆束縛，不能舉事，恐此與江事無異。……自漢事一敗，百凡墜裂，尚有惠事相牽誣，致敗乃公事。嗚呼！汪、孫之罪，真中國蟊賊也。某既決為之棄粵，純老已首途往英、美、日辦漢事，並與英外部訂明，想公必以為然也（粵中人心極震——以惠及撫署事，恐連累益甚。望速登報言：某人保皇，專注意北方，以粵為僻遠而不欲。且自以生長之邦，尤慮鄉人之蒙禍，決不驚粵，且從彼之士夫，多在各省，與孫之除粵人無所為不同。今孫自援粵而造謠影射，不知保皇與撲滿相反，望吾鄉人切勿誤信謠言，安居樂業。要之，某人決不驚動故鄉云）。」[118]

　　保皇會的勤王運動一直以兩廣為重心，人財物力，均傾注於此，始終籌而不舉的原因，是其用人不當，調度乖方，雖耗資巨大，準備工作卻大都停留於口頭紙面。自立軍失敗之初，保皇會澳門總局辦事諸人還情緒激昂，日夜密謀糾集長江同志再舉。後來權衡內外形勢，知道輕舉妄動難以奏功，轉而採取慎重態度，僅以養成實力為名努力

118 1900年11月20日康有為致邱菽園書，湯志鈞：《自立軍起義前後的孫、康關係及其它——新加坡丘菽園家藏資料評析》，《近代史研究》1992年第2期。

募集保皇會員，[119]暗中已經放棄起義計劃。康有為將「驚粵」罪名歸於革命黨，指其勤王流產為惠事牽累，自保之餘，不免存了害人之心。[120]

1901年4月至6月孫中山再赴檀島，發覺當地興中會盡為保皇會奪占，認為梁啟超的從權辦理實為一大騙局，雙方關係開始惡化。但梁啟超前此所為並非存心行詐。1902年，當孫、梁交構，「意氣尚不能平」之際，章炳麟論及二人反目成仇的因由，有一番中肯的分析，他說：

> 「任公囊日本以□□為志，中陷□□，近則本旨復露，特其會仍名□□耳。彼固知事無可為，而專以昌明文化自任。中山則急欲發難。然粵商性本馬鹿，牽制東西，惟人所命。公知□□，而彼輩惟知保皇，且亦不知保皇為何義，一經鎔鑄，永不能復化異形。中山欲以革命之名招之，必不可致，此其所以相攻擊如仇讎也。」[121]

仔細品味，章氏仍然相信梁啟超確是借保皇之名行革命之實，只是僑商不能領悟其中奧妙，從此變異。壬寅、癸卯間，梁繼續鼓吹「中國以討滿為最適宜之主義」，甚至不顧康有為嚴責，要與之「以愛國同歸而殊途，一致而百慮」[122]，實踐其抵檀之初對孫中山的承

---

119 松岡好一：《康孫兩黨ノ近情》，《東亞同文會第13回報告》，明治33年12月。

120 參見拙著《清末新知識界的社團與活動》，北京，三聯書店1995年版，第2章《保皇會庚子勤王謀略及其失敗》。

121 1902年3月18日《致吳君遂等書》，湯志鈞編：《章太炎政論選集》上冊，北京，中華書局1977年版，第162-163頁。

122 1902年5月《與夫子大人書》，丁文江、趙豐田編：《梁啟超年譜長編》，第286-287頁。

諾。可惜他終究未能擺脫保皇的框縛，旅美後更鼓吹君憲，與革命黨
成冰炭水火。孫中山坐實其「名為保皇，實則革命」的欺騙性，認
為：「康尚有坦白處，梁甚狡詐。」[123]其實，當年梁啟超縱無排滿革
命真心，卻不乏反清變政實意。

孫中山所指望的合作基礎，不是康有為的保皇宗旨和封閉組織路
線，而是梁啟超主張的聯合大舉及變政計劃，其實施的主力是唐才常
的長江自立軍。長江計劃原不限於漢口，按照唐才常的設想，以漢
口、上海為中心，形成中、下游兩大基地，漢口主要由林圭負責，與
孫中山的關係較多，下游由唐才常、狄平負責，與康有為及保皇會的
關係更深。[124]漢口以兩湖會黨為基礎，上海則以江淮徐懷禮、江寧湘
軍各部為依託，唐才常還一度有以徐懷禮的虎軍為正軍之意。後因徐
懷禮臨陣變節，只得依賴漢口。林圭與唐才常政見相歧，而共同主張
聯合大舉，又有賴於唐才常的經濟支持，因而堅持合作共事。林圭和
孫中山從宗旨到組織有許多共鳴與聯繫，而孫中山與自立軍的關係和
他與保皇派的關係有別，興中會同意長江流域的聯合陣營使用權宜口
號，至於興中會獨立發動的惠州起義，則仍然公開打出排滿旗號。這
無疑反映出孫中山宗旨的一貫與方略的靈活。

三　革命與革政

維新勢力歷來派系林立。戊戌政變後，除康、梁的保皇會外，其

123　《孫中山全集》第1卷，第229頁。

124　參加自立軍的留日學生，1899年底歸國的東京高等大同學校學生林圭、秦力山、
　　田邦璿等傾向更為激進，而暑期歸國的傅慈祥、黎科等各校學生，則與保皇會關
　　係密切（《恭祝皇上萬壽演說》，《清議報》第53、54期，1900年8月5日、15日；丁
　　文江、趙豐田編：《梁啟超年譜長編》，第212、226頁）。

餘各派維新黨人也在尋求組織結合，以圖群策群力，挽救內外危局，
正氣會和中國議會即聚合在上海的各種勢力而成。他們不像康有為
那樣死守保皇立場，而以革新變政為宗旨，手段方式因時變通；與革
命派的分歧，主要在於排滿一點，至於興民政則並無二致。因此可以
統稱之為「革政派」（夏曾佑語）。孫中山與革政派的關係同樣值得
注意。

　　長江下游方面，以汪康年為首的江浙士紳實力遠過於唐才常。由
於各自與康有為的關係親疏有別，雙方聯合中磨擦不斷。戊戌變法
前，唐才常的活動範圍基本不出湖南，勤王運動以上海為根據地，不
得不借重原來譚嗣同、梁啟超的人脈關係。他組織正氣會和中國國
會，便要依靠汪康年等江浙士紳。正氣會由會黨首領及革新派人士組
成，後者主要成員為周善培、汪康年、葉瀚、丁惠康，雖然唐才常任
幹事長，沈藎任事務員，實際上汪康年、葉瀚一派的影響力更大。正
氣會成立不久，雙方發生矛盾，分別準備另立新會。唐才常為了避免
與汪康年衝突，辭去正氣會幹事長之職，另組自立會，以便組織起
義。葉瀚接任幹事長後，著手對正氣會實行改造。[125]

　　作為湖南、江浙維新黨人聯合以及哥老會與革新派合作的組織形
式，正氣會所採取的方針其實正是唐才常、梁啟超、孫中山等人商定
的「大合」主張，即所謂「欲集結全國之同胞，運動革新之大業，不
得不寬其區域，廣其界限，以期合群。」[126]其中汪康年、周善培等
人，與孫中山還有過交往。汪康年一直密切注意中國各界的動向，早
在1895年3月，他就向梁啟超打聽過孫中山的情況，對後者有所瞭
解，這應是倫敦被難事件發生後，《時務報》連續譯載海外報刊有關

125 上海圖書館編：《汪康年師友書劄》（二），第1196頁。
126 田野桔次：《最近支那革命運動》，第11頁。

消息評論的重要契機。德國強佔膠州灣後，汪康年憤於清廷「弭患無術，善後無方」[127]，借考察報務為名，和曾廣銓一同赴東，與日本朝野各方磋商中日同盟挽救危局之計，決心結合民間力量救亡圖存。在日期間，曾與孫中山有所交往。1898年1月，孫還專程陪同汪、曾二人到大阪，與白岩龍平、山本憲及僑商孫實甫、留學生汪有齡、嵇侃等會見《大阪每日新聞》記者。[128]一些日本人遂將汪康年與孫中山相併提。[129]

東渡前夕，汪曾向梁啟超函商進止日程，[130]與孫中山接觸，是否在原擬議程之中，不得而知。歸國後，汪認為「行者之無能為」，且將此意「遍喻於人」[131]。康有為害怕汪、孫交往之事張揚開來，牽累於己，竟密謀舉發。徐勤函告韓文舉：汪氏「東見行者，大壞《時務報》館聲名。欲公度、卓如速致書都中士大夫，表明此事為公（即汪康年）一人之事，非《時務報》館之事」，又指汪「荒謬」，目為「小

---

127 《時務報》第52冊，1898年2月21日。
128 《清國新聞記者》，《大阪每日新聞》1898年1月17日。見藤谷浩悅：《戊戌變法與東亞會》，《史峰》第2號，1989年3月31日。曾廣銓為曾紀澤之子，原任清駐日公使館三等秘書。1897年跟蹤孫中山由英國到日本（明治30年8月18日神奈川縣知事中野繼明致外務大臣大隈重信秘甲第403號）。後參與創辦《時務報》。1900年任李鴻章幕僚時，介入撫孫計劃。6月17日，乘安瀾輪赴港接孫中山，並擔任劉學詢與宮崎、內田、清藤會談的翻譯（宮崎滔天著，佚名初譯，林啟彥改譯、注釋：《三十三年之夢》，第182-183頁；馮自由：《革命逸史》第4集，第93頁）。孫實甫，名淦，後任浙江留日學生監督，並任職於日本郵船會社。
129 1899年2月16日《章炳麟來書》，上海圖書館編：《汪康年師友書劄》（二），第1951頁。
130 1898年1月1日《梁啟超來書》，上海圖書館編：《汪康年師友書劄》（二），第1852頁。函謂：「東行事弟亦刻不能忘，惟前往之人，必須極老誠、慎密、鎮靜者乃可，意中之人實無幾。兄自往則弟以為不可，不可輕於一擲也。」
131 1898年6月2日《汪大燮來書》，上海圖書館編：《汪康年師友書劄》（一），上海古籍出版社1986年版，第782頁。據孫中山與宮崎寅藏筆談，此前他曾致函上海，請梁啟超或其親信一人赴日，瞭解情況，同商大事。

人」[132]。鄒代鈞擔心康門師徒施展「同我者黨之，異我者仇之，勢可殺則殺之」[133]的慣用手段，藉機構陷，飛函告急。此事進一步加深了汪、康裂痕。此外，汪康年間接介入了劉學詢的「圖康」密謀，無疑也會加重康的惡感。

東遊歸來，汪康年仍與興中會有所聯繫。1898年6、7月間，他會見了孫中山的日本友人平山周、末永節等人，批評「今人大率識短膽小，稍聞要之便掩耳卻走」[134]，與百日維新期間康有為因平山周是孫黨而拒絕相見形成鮮明對照。他還與加入興中會的畢永年交往，1899年5月27日，汪康年與畢永年、唐才常、宗方小太郎、中西正樹等聚餐。[135]正氣會期間，由於自身實力不足，又不能與唐才常通力合作，汪康年等還探討過聯合革命黨的可能性。參與正氣會的周善培剛剛從日本考察學務歸來，在日期間，經梁啟超介紹，曾走訪孫中山，「商量一切事務」[136]。他向汪康年建議：「中山許公宜常與之通消息，緩急亦有用者也。」[137]

夏曾佑反對向督撫進言求助，也不贊成與「翹然為首」，「帝制自為」者共事，而關注「中山酒店重開否？對山文集重刻印否？」[138]認為：「自成一隊，力既不能，時又不及。與中山合，此較妥。然則事

---

132 上海圖書館編：《汪康年師友書劄》（三），上海古籍出版社1987年版，第2756頁。

133 1898年7月18日《鄒代鈞來書》，上海圖書館編：《汪康年師友書劄》（三），第2757頁。

134 1898年6月25日《汪康年致宗方小太郎函》，湯志鈞：《乘桴新獲——從戊戌到辛亥》，第203頁。

135 東亞同文會編：《對支回顧錄》下卷，第383頁。

136 馮自由：《革命逸史》初集，第64頁。

137 1900年6月18日《周善培來書》，上海圖書館編：《汪康年師友書劄》（二），第1196-1197頁。

138 1900年7月6日《夏曾佑來書》，上海圖書館編：《汪康年師友書劄》（二），第1367頁。

敗則與俱敗，事成則北面而待人（中山處大約人材較眾，皆教中人，非士大夫，故我輩不知）。唉使武負，此策無從行。」[139]為保證「文必己出」，以免「自主無權」，「求為彼隸卒且不錄」[140]，他建議：「與英、美、日相商定策，以兵力脅退□□，請□□親政，再行新政。」「若有革命黨人不願，可用意將革命、革政二黨人化合為一憲政黨人可矣（只須憲法上立一條曰：凡滿人所得之權利，漢人均能得之。如此則革命黨又何求乎？）。」[141]

　　1900年7月中國國會成立時，汪派的勢力進一步增長，國會正副會長容閎、嚴復名高權輕，三位書記中，葉瀚與汪康年是故交，汪有齡是汪康年的親戚，丘震為葉瀚的知己；10位幹事中，鄭觀應沒有勢力，吳保初、丁惠康是名士派，趙從藩（仲宣）雖然被井上雅二稱為唐才常在京代表，卻與孫寶瑄交善，支持汪康年，汪立元（劍齋）亦為汪康年的親戚，孫寶瑄與汪康年同鄉，胡惟志（仲冀）與孫寶瑄交善。汪康年、孫寶瑄、胡惟志、宋恕、譚嗣同、吳保初曾自比竹林七賢。會計孫多森也久居滬上，與汪康年熟識。反觀唐才常派，其骨幹狄平、沈藎、張通典均未能進入領導層。

　　儘管中國議會內部各派的政見、方略不一，大抵均為戊戌政變以來主張聯合救國的有志之士，有很強的變政甚至反對當朝執政的傾向。因提倡變革而與清政府為敵的孫中山及其革命黨，自然為其成員所重視，或者說在共同的救國革新道路上，彼此或遲或早已經有所聯繫。1894年孫中山想通過盛宣懷上書李鴻章，鄭觀應曾為其作書介

139　1900年6月22日《夏曾佑來書》，上海圖書館編：《汪康年師友書劄》（二），第1363-1364頁。

140　1900年8月19日《□存來書》，上海圖書館編：《汪康年師友書劄》（四），上海古籍出版社1989年版，第3687頁。

141　1900年6月22日《夏曾佑來書》，上海圖書館編：《汪康年師友書劄》（二），第1363-1364頁。

紹。[142] 1898年汪康年在日本見孫中山時，正留學日本的汪有齡也在座。1899年5月汪康年與畢永年、唐才常聚會，參與者還有文廷式、張通典、狄平等人。是年6月，文廷式與宮崎寅藏在上海結識，次年訪日，又與宮崎寅藏交遊，其間與孫中山會晤，談及舉事計劃。回國後文廷式還與張堯卿一起到長沙為孫中山散票。[143]

國會會長容閎與革命黨的關係，始於和楊衢雲、謝纘泰一派商議聯合計劃。1900年3月底到4月初，他在香港與謝、楊二人多次會晤，設法促成趨新各派的合作。4月4日，容閎離港赴美，謝纘泰致函孫中山，建議其在容途經日本時與之會晤。「為了防止各黨派領導間的自私競爭和妒忌」，謝還推舉容閎「為維新聯合黨派的主席」。[144] 4月底楊衢雲赴日與孫中山協商，6月孫中山赴新加坡與康有為洽談，舉容閎為聯合黨派主席當在議題之內。儘管謝纘泰的提議既針對康有為等人阻撓合作，又含有報復楊、孫之爭前者失勢之意，但孫本人對此表示贊同。8月孫中山赴滬前，再度呼籲各派聯合，特別對新當選的國會會長容閎表態支持，「在中國的政治改革派的力量中，儘管分成多派，但我相信今天由於歷史的進展和一些感情因素，照理不應爭執不休，而可設法將各派很好地聯成一體。作為眾望所歸的領袖，當推容閎，他曾任駐美公使，在國內也頗孚人望」[145]。

由於容星橋的關係，容閎對自立軍可能已經有所瞭解，但他對素未謀面的孫中山的印象開始不太好，「認為孫不怎麼樣，因為他太輕

---

142 詳見沈渭濱：《孫中山與辛亥革命》，上海人民出版社1993年版，第45頁。

143 汪叔子：《文廷式年譜稿》，汪叔子編：《文廷式集》下冊，北京，中華書局1993年版，第1505-1508頁。

144 謝纘泰著：《中華民國革命秘史》，《廣東文史資料·孫中山與辛亥革命專輯》，第309頁。

145 《孫中山全集》第1卷，第198頁。

率了。」[146]1900年9月1日，孫中山回應自立軍起義不成，返回日本，與逃避清廷緝捕的容閎、容星橋同船東渡，由容星橋居間引薦，到長崎後孫中山兩度前往下榻處拜訪容閎，秘密晤談，[147]容閎因而改變成見，表示：「欲幫助孫遂其宿志」[148]。不久，容閎接到上海密電，於9月7日由長崎啟程赴香港。與孫中山一同前往東京活動的容星橋聞訊，也於9月14日由橫濱赴港。[149]平山周曾於8月20日在上海稱預定三周後赴香港舉事，容氏兄弟的行動與梁啟超所說要與孫派在兩廣合作的話，似非偶然巧合。此後，容閎一面繼續為保皇會辦外交，「首途往英、美、日辦漢事，並與英外部訂明」[150]，一面被孫中山舉為代理使職於外國之人，[151]分別成為革命、保皇兩派的外交代表。由於保皇會勤王虎頭蛇尾，興中會舉義雖敗猶榮，容閎逐漸疏遠前者。

主張排滿的章太炎也一度參與中國國會，早在《時務報》時期，他就從梁啟超處得知孫中山主張武力反清，「心甚壯之」，「竊幸吾道不孤」。[152]但開始對孫中山評價不高。1899年初，他函告汪康年：「東人言及公名，肅然起敬，而謬者或以逸仙並稱，則妄矣。」[153]認為孫

---

146 謝纘泰著：《中華民國革命秘史》，《廣東文史資料・孫中山與辛亥革命專輯》，第308頁。

147 明治33年9月4日長崎縣報高秘第329號。

148 明治33年9月4日長崎縣報高秘第329號，9月22日福岡縣報高秘第971號。

149 明治33年9月7日長崎縣報高秘第336號，9月18日長崎縣報高秘第361號，9月14日神奈川縣報秘甲第385號。許多著作引述明治33年9月10日東京警視總監大浦兼武致外相青木周藏的甲秘第111號報告，稱容閎於9月7日與孫中山一起赴東京，係與容閎混淆。

150 1900年11月20日《康有為致丘菽園書》，轉引自湯志鈞：《自立軍起義前後的孫康關係及其它》，《近代史研究》1992年第2期。

151 《孫中山全集》第1卷，第202頁。是函寫於1900年10月中上旬。

152 章太炎：《口授少年事蹟》、《民國光復》、《致陶亞魂柳亞廬書》，引自湯志鈞編：《章太炎年譜長編》上冊，第39-40頁。

153 上海圖書館編：《汪康年師友書劄》（二），第1951頁。

還不及汪。1899年7月8日，經梁啟超介紹，他和孫中山相見於橫濱。也許是初識，交談不夠深入，章太炎對孫中山的看法不甚佳。7月17日，他函告汪康年：

> 「興公亦在橫濱，自署中山樵，嘗一見之，聆其議論，謂不瓜分不足以恢復，斯言即流血之意，可謂卓識。惜其人閃爍不恒，非有實際，蓋不能為張角、王仙芝者也。」[154]

7月29日中國國會第二次集會，章太炎提出《請嚴拒滿蒙人入國會狀》，主張「不允許滿人入會，救出光緒為平民」[155]，「會友皆不謂然，憤激踔厲，遽斷辮髮，以明不臣滿洲之志，亦即移書出會」，致函孫中山，稱：

> 「去歲流寓，於□□□君座中得望風采，先生天人也。鄙人束髮讀書，始見《東華錄》，即深疾滿洲，誓以犁庭掃閭為事。自顧藐然一書生，未能為此，海內又鮮同志。數年以來，聞先生名，乃知海外自有夷吾，廓清華夏，非斯莫屬。去歲幸一識面，稠人廣眾中不暇深談宗旨，甚悵悵也。」

他雖然認為容閎「天資伉爽，耆益精明，誠支那有數人物，而同會諸君，賢者則以保皇為念，不肖者則以保爵位為念，莫不尊奉滿洲如戴師保，九世之仇，相忘江湖」。對於興中會的事業，章太炎也表示關注，寄予期望，「□□處知□□有意連衡，初聞甚喜，既知復以

---

154 上海圖書館編：《汪康年師友書劄》（二），第1956頁。
155 《井上雅二日記》，近藤邦康：《井上雅二日記——唐才常自立軍蜂起》，《國家學會雜誌》第98卷第1、2號合刊。

猜疑見阻，為之惘然。時遭陽九，天下事尚有可為，惟為四萬萬人珍攝。」[156]

關於國會成員政見與方略的差別，親歷其事的章炳麟有如下記述：

「海上黨錮，欲建國會。然所執不同，與日本尊攘異矣。或欲迎蹕，或欲□□〔排滿〕，斯固水火。就迎蹕言，信國〔文廷式〕欲藉力東西，鑄萬〔唐才常〕欲翁〔同龢、陳〔寶箴〕坐鎮，梁公〔狄平〕欲密召崑崙〔康有為〕，文言〔汪康年〕欲借資鄂帥〔張之洞〕。志士既少，離心復甚，事可知也。」[157]

章太炎提出《請嚴拒滿蒙人入國會狀》，直接針對參與其事的金梁，以及主張變法的壽富等人。他說：

「本會為拯救支那，不為拯救建虜；為振起漢族，不為振起東胡；為保全兆民，不為保全孤償；是故聯合志士，只取漢人，東西諸賢，可備顧問，若滿人則必不容其闌入也。或謂十室之邑，必有忠信，雖在滿洲，豈無材智逾眾，如壽富、金梁其人者。不知非我族類，其心必異，愈材則忌漢之心愈深，愈智則制漢之術愈狡，口言大同而心欲食人，陽稱平權而陰求專制，今所拒絕，正在此輩」[158]。

---

156 1900年8月8日《來書》，《中國旬報》第19冊，1900年8月9日。

157 《再致夏曾佑》，《章太炎選集》注釋本，第115頁。注釋參見姜義華《章太炎思想研究》，上海人民出版社1985年版，第137頁；朱維錚《訄書發微》，《學術集林》卷一，上海遠東出版社1994年版，第203頁注12。

158 《中國旬報》第19期，1900年8月9日。

「排滿」與「迎蹕」的分歧，不能簡單地理解為革命與保皇的對立。孫寶瑄庚子後曾對革新勢力加以區分，他說：

> 「今日海內，黨派有四，曰變法黨，曰革命黨，曰保皇黨，曰逐滿黨。變法黨者，專與阻變法者為仇，無帝後滿漢之見也。保皇黨者，愛其能變法之君，舍君而外，皆其仇敵也。革命黨者，惡其不能變法之政府，欲破壞之，別立政府也。三黨所持，皆有理。惟逐滿黨專與滿人為仇，雖以變法為名，宗旨不在變法也，故極無理，而品最下。」[159]

則排滿不等於革命。孫寶瑄與章太炎爭論滿族當逐與否，認為「枚叔深於小學，力持逐滿之議，以夷狄為非人類，謂《說文》西羌從羊，南蠻從蟲，北狄從犬，東貉從豸，……然向來人多稱東夷、西羌、南蠻、北狄，稱東貉者殊少。如以東夷而論，則《說文》夷從大，大，人也，不得與羊犬蟲相比。又雲夷俗仁，仁者壽，有君子不死之國。……滿洲處東方，正是東夷，則自古稱仁人，稱君子，豈在當逐之列乎？餘素無種族之見，因枚叔善言小學，嚴種族之辨，故即據小學與之爭。」[160]他還函告章氏：「法果變，公再談逐滿，當以亂民相待。」上海新黨聞知，「皆譁然」，謂其「改節，貢媚朝廷」。其實孫、章私交甚篤，在學友之列，章氏斷髮之後，兩人仍時相往還。這一次章頗震怒，示意絕交，孫則表示：「扶桑一姓，開國至今，談革命者，猶所不禁。宗旨不同，各行其志，伍員包胥，不聞絕交。前言戲之，公毋怒我。」希望轉圜。

---

159 孫寶瑄：《忘山廬日記》上冊，上海古籍出版社1983年版，第422頁。
160 孫寶瑄：《忘山廬日記》上冊，第393頁。

孫寶瑄戊戌後雖由主張民權退到君憲，對清廷的變法卻不輕信，曾與王修植討論政府變法而不變心術之故，指出：「心術者，即君權之代表也。彼懼法變而民權之說起，故以心術二字壓倒之」。[161]認識不可謂不深刻。葉景葵說：孫「佩太炎之文學，而反對其逐滿論，但未嘗不主革命。嘗讀《明史》，謂如王振、汪直、劉瑾、嚴嵩、魏忠賢之跋扈，當時擁強兵如孫承宗者，倘興晉陽之甲入清君側，即並暗君黜之，亦無愧於名教，病在膠執程朱之說，拘守名分太過」[162]。聯想到國會成員易順鼎早在甲午之際就提出不惜訴諸兵諫、廢立以圖救國，其革命概念雖由古訓，畢竟不拘泥於保皇，更不是一味維護清朝統治。汪派的另一要人夏曾佑也認為：

> 「夫逐滿之說，謂滿不同種乎？則滿亦黃種也。日本可聯，安在滿洲不可聯？謂滿愚民之政乎？則愚民者我之舊制，不創自滿人也。謂滿為曾暴吾民乎？則革命之際何人不暴？既不能因朱元章〔璋〕而逐淮北人，因洪秀泉〔全〕而逐廣東人，而獨逐滿，亦非持平之道矣。」[163]

排滿當否在學理與方略上關係至為複雜，否定意見不可一概抹殺，何況國會確有滿人革新進取的實例，而不贊成排滿者同樣主張革新變政。

章太炎的主張與孫中山的意見接近，但在國會中只是極少數。由於得不到響應，他本人退出，「排滿」與「迎蹕」的矛盾不復存在。

---

161 孫寶瑄：《忘山廬日記》上冊，第412、413、347頁。

162 孫寶瑄：《忘山廬日記‧序》。

163 上海圖書館編：《汪康年師友書劄》（二），第1390-1391頁。夏曾佑還反對與「翹然為首」、「帝制自為」之人合作，不贊成恢復漢族帝制。同上，第1363頁。

汪康年與唐才常的矛盾，主要還不是宗旨分歧，如有人所說，士紳名流不肯武力反清。正氣會成立後，唐才常準備實行暗殺起義，汪康年等也派人到四川、湖北、安徽、揚州等地聯絡地方豪強，決心動武，又在上海廣交三教九流，以為「將來大合諸侯之地」[164]。由汪康年親自參與制定的中國議會秘密宗旨，主張廢棄舊政府，建立新政府，具體方式一是推一大名人為總統，二是中國各省自行治理。實行辦法為，「趁現在民心大亂之機，派人去各省，與土匪聯合起來以成一派勢力」[165]。這與自立會並無二致，雙方的分歧其實主要源自人事及利益。唐才常與康有為關係密切，勢必引起戊戌變法以前就與康有為結怨的汪康年、葉瀚等人的不滿，擔心康有為歸國，引起麻煩。因此唐才常別創自立會，以防掣肘。

其實，自立會同樣覺得安排康有為是一件棘手之事，只想利用其籌餉，而不讓他出面任事。[166]這種架空康有為的設想，與孫中山、梁啟超謀求聯合時所擬讓康息影林泉的主意驚人相似，是不謀而合抑或暗通聲氣，值得玩味。由此可見，汪、唐之爭還是派系利益，無關政見宏旨。惠州起義時，周善培仍表示：「中山既有所舉，吾黨不可不贊之，不可復有嫌疑。」「中山倘西顧，必使人來而為恃」，「果有徒，仍宜贊中山。」[167]此後汪康年還向留日學生監督錢恂打聽：「二

---

164 上海圖書館編：《汪康年師友書劄》（二），第1365頁。

165 井上雅二：《當用日記》，明治33年7月31日、8月4日，近藤邦康：《井上雅二日記──唐才常自立軍蜂起》，《國家學會雜誌》第98卷第1、2號合刊。

166 井上雅二：《當用日記》附件《中國自立會的布置》，近藤邦康：《井上雅二日記──唐才常自立軍蜂起》，《國家學會雜誌》第98卷第1、2號合刊。關於如何處置康有為，孫中山、梁啟超、唐才常之間似有某種默契。梁啟超曾勸告康有為退隱林泉，閉門著書。這與汪康年一派的想法不謀而合，各派均不希望康有為歸國。這也是自立會與保皇的明顯不同。

167 1900年12月12日《周善培來書》，上海圖書館編：《汪康年師友書劄》（二），第1201-1202頁。

雄合一，是否？二雄能再雄鳴否？」[168]與江浙派的諸多聯繫，應是8月間孫中山敢於赴滬的潛因之一。

四 餘論

綜上所述，可以進而討論如下問題。

一、孫中山一貫努力將反清活動推向全國，為此盡可能廣泛結交各地各派的領袖人物。庚子他力求發動一場全國性的大起義，在動盪的形勢中乘亂實現反清變政的政治目標。由於自身實力不足，他最大限度地運用靈活策略，不僅同意梁啟超的聯合宗旨，積極支持自立軍的中原大舉，而且爭取與保皇會、中國國會合作，與李鴻章、劉學詢等合謀兩廣獨立，上書港督卜力尋求援助，向法國、日本示惠。這是務實的政治家為達到戰略目標而採取的明智之舉，其適時變換符合多數人的意願和形勢的需求，有利於促成聯合大舉行動。如果不是康有為從中作梗，求同存異、互相呼應的中國革新派未必沒有乘亂取勝的機會。至於此後局勢如何發展，還有待於各派勢力的進一步角逐。如果孫中山不顧人們的共識，一味堅持排滿，反倒給人以種族復仇的狹隘之感，妨礙聯合大舉的全局。

二、中國士紳有民重君輕、天下己任的觀念以及異端結交江湖的傳統，又受近代民主思想的影響，如果朝廷政府一意孤行，不顧社稷蒼生，他們便不約而同地寄望於國民。汪有齡說：「大局日非，伏莽將起，我輩願為大局效力，必須聯絡人才，以厚其勢。……即有事起，各竭其力。」[169]夏曾佑認為：「觀官場之習，滅種已定，萬不可

---

168 錢恂答稱：「門下士極力圖合，然孫昏而康誕，均非豪傑。」（上海圖書館編：《汪康年師友書劄》（三），第3009頁。此函應寫於1900年）

169 上海圖書館編：《汪康年師友書劄》（一），第1058-1059頁。

救，然此只可歸之為政府之末流。舉國之民分數大支，今不過可決政
府之一支必死耳，其它之人尚不忍盡棄之也，」[170]與國會關係密切的
經元善表達得最為明確：「堂堂中國政府，惑邪啟釁，無事自擾，以
致宗社為墟，此上下五千年歷史所未有，逆藩權奸之肉，其足食乎。
此後欲望支那自立圖存，全在國民聯群一致，並膽同心。捨此外，無
可救藥之仙丹。」[171]他們雖以勤王為號召，但倡建國會，在清政府之
外自行組成權力機關，並實際發揮對內對外職責，確如梁啟超所說，
是乘勢借勤王以興民政。而且作為未來政府的首腦，光緒只是人選之
一，真正的權力機構還在國會。

政見宗旨相近，方式手段趨同，一旦當道的所作所為嚴重危及國
家社稷的安危，革新勢力的不同政派便會與一切反政府勢力聯合，以
武力求變政，在宗旨和手段上，很難發現原則區別。戊戌政變後，頑
固親貴把持下清朝中央政府的倒行逆施，在士紳們看來，已到喪心病
狂的地步，為泄一己私憤，不惜將國家民族引向滅亡的邊緣。迫在眉
睫的亡國危機，促使他們採取非常手段，以拯救危亡。陳三立說：
「今危迫極矣，以一弱敵八強，縱而千古，橫而萬國，無此理勢。若
不投間抵隙，題外作文，度外舉事，洞其癥結，轉其樞紐，但為按部
就班，敷衍搪塞之計，形見勢絀，必歸淪胥，悔無及矣。」[172]汪有齡
認為：「得死君國，不失為忠；委屈求濟，不失為智；稍有建樹，不
失為勇；扶順抑逆，不失為義。左之右之，惟其是而已。否則事不閱
歷，跬步荊棘，一腔熱血，無處施展，豈不惜哉。」[173]孫寶瑄也同

---

170 上海圖書館編：《汪康年師友書劄》（二），第1345頁。

171 上海圖書館編：《汪康年師友書劄》（三），第2429頁。

172 《陳三立致梁鼎芬密劄》，周康燮：《陳三立的勤王運動及其與唐才常自立會的關
　　係——跋陳三立與梁鼎芬密劄》，《明報月刊》第9卷第10期，1974年10月。

173 上海圖書館編：《汪康年師友書劄》（一），1058-1059頁。

意：「國家不變法，則保皇者忠臣也，革命者義士也。」[174]無論他們原來的政治主張和方針如何，都盡可能動員和利用各種社會關係，嘗試各種方式，以解救燃眉之急。夏曾佑建議借列強兵力使光緒復辟時說：「鄙人向不持此策，然今日除此別的都來不及，且行此策則尚有後文可做。若不行此，則別事既不及行，各國權力界一定將忍而終古矣。」[175]在民族生死存亡的緊要關頭，各派的政見分歧對行動方式不構成約束，既不能以政見規範手段，也不應以一時一事的手段指證政見。對於士紳性格的這一面，應有充分的認識。

當然，各派進行軍事行動的能力大有差別，與清政府的關係也各自不同，這對各派的政治動向產生重要影響。庚子後，保皇會不敢言兵，國會成員不少人贊成清廷變政，反對革命排滿，聲稱：「國家果變法，而此輩黨人猶不解散，則皆亂民也，可殺。」[176]但又認為清廷的體制內改革難以成功，民眾暴動不可避免，陷入絕望，逐漸遠離政治中心。他們不是因為宗旨有異根本反對動武，而是嘗試過使用武力，證明自己缺乏相應的能力，只得改行和平變革方式。

三、後人所用革命與改良的對立概念，不能恰當表現或涵蓋當時的政治分野。夏曾佑分為革命與革政二派，孫寶瑄分為革命、變法、保皇、逐滿四黨。國會人士反對排滿，有異於革命黨，除此之外，他們便只是在體制內還是體制外變革更為有利之間徘徊遲疑。從世界歷史的進程看，如果對革命的理解不僅僅局限於政治層面，而是擴大到社會層面的話，那麼可以說是殊途同歸。關鍵在於，執政者的所作所為讓他們如何抉擇。戊戌政變後尤其是庚子義和團時期清王朝的倒行逆施，把一大批開明士紳逼到對朝廷刀槍相向的絕境。圍繞所

---

174 孫寶瑄：《忘山廬日記》，第368頁。

175 上海圖書館編：《汪康年師友書劄》（二），第1363-1364頁。

176 孫寶瑄：《忘山廬日記》，第368頁。

謂正氣會和自立軍宗旨矛盾的爭論，顯示依據革命與改良的概念，無法全面觀照革新人士具有廣泛共識的反清變政傾向與活動，不僅將大批革政人士劃歸保皇或改良，甚至疑及孫中山的反清立場。如果不改變先入為主的觀念，重新檢討史料和史實，歷史進程的複雜性很難如實揭示。

庚子孫中山上書港督卜力述論

　　興中會時期，1900年孫中山的活動最為豐富多彩，而致書港督卜力和提出平治章程，為其中引人注目的大事。由於行動隱密，當時各種記載均閃爍其辭，事後回憶又含糊不清，相互矛盾，以至於國內外有關著述或語焉不詳，或彼此牴牾。此事涉及孫中山對內對外的方針策略及其政治屬性，澄清動機過程等等問題，有助於深入認識孫中山的宗旨和策略，為分析判斷其思想和活動提供依據。

一　問題的提出

　　關於孫中山致書港督卜力和提出平治章程的時間，主要有三說，即6、7月間、7月24日和7月底8月初。

　　《孫中山全集》第1卷（北京，中華書局1981年版）持第一說，其底本為平山周所著《中國秘密社會史》（上海商務印書館編譯所譯訂，1912年版），編者注稱：底本說明此件寫於香港舟中（7月中旬），而《支那革命黨及秘密結社》日文原本則謂在此之前，因而酌定[1]。後一書名即前引平山周書日文原本的標題，該書1911年11月出版於東京，平山周並未明確指出孫中山上書的具體時間和地點，只是說：「孫於舟中仍不忘此事」，致函港督。參照上下文，平山周至少這時認為上書卜力是1900年7月18日李鴻章北上過港之前所為。

1　《孫中山全集》第1卷，第191頁。

　　章開沅、林增平主編《辛亥革命史》（北京，人民出版社1980年版）根據《中華民國開國前革命文獻》（名山出版公司1944年版）的底本，將此事置於1900年6月間進行敘述，認為是何啟按照卜力的授意，與陳少白密商，要興中會領導人聯名向卜力上書，提出改造中國的方案，請予以協助，然後由卜力居間，撮合孫中山與李鴻章合作。孫中山在橫濱得到電告，即覆電表示同意。於是，陳少白約集在港興中會領導人草擬上書，交由何啟、謝纘泰譯成英文，由孫中山等人具名後遞交卜力。其時間過程的判斷描述，顯然是綜合了宮崎寅藏的《三十三年落花夢》、馮自由的《革命逸史》和《中華民國開國前革命史》中的有關記載。此說將平治章程的提出和孫、李合謀廣東獨立事聯為一體，認為李鴻章最終北上及英國政府表示反對，標誌著合作活動的中止，從而使得上書之舉變得毫無意義。金沖及、胡繩武的《辛亥革命史》（上海人民出版社1981年版）看法與此大體相同。

　　7月24日說曾一度被學人普遍接受。臺灣編輯出版的《國父年譜》、《中華民國國父實錄》、吳相湘《孫逸仙先生傳》，大陸編輯出版的《孫中山年譜》（廣東省社會科學院歷史研究室、中國社會科學院近代史研究所中華民國史研究室、中山大學歷史系孫中山研究室合編，北京，中華書局1980年版）均持是說。不過，臺灣各書聲稱依據《國父全集》第1冊，而《國父全集》僅記為庚子年，沒有具體日期。《孫中山年譜》於是條頁下注稱引自《中華民國開國前革命史》上卷第52-56頁，細讀後書，亦未標明日期，所注當指內容，時間或者仍然依據《國父年譜》。所以，問題的關鍵在於編輯《國父年譜》時，不知根據何種資料定出7月24日這一確切日期。對此《國父年譜》未加說明。

　　在沒有明確時間記載的情況下，可以從上書的內容加以判斷。孫中山致港督卜力書列舉清廷「現在之凶頑」的罪狀時，責以「竟因忠

諫，慘殺無辜，是謂戮忠臣」，[2]當指1900年7月28日清廷殺害許景
澄、袁昶之事。如果這一判斷成立，那麼致卜力書稿的擬定，不可能
在8月以前。有鑑於此，《中華民國史》第1卷（李新主編，北京，中
華書局1981年版）的編者在敘述上書過程時，特意加以說明，認為上
書的定稿當在殺許、袁事件發生後不久。這樣一來，上書行動決不可
能在7月24日及此前進行。

對孫中山上書港督卜力一事進行全面細緻的研究，力求撥雲見
日，提出新見解者首推美國的史扶鄰教授（後任教於以色列）。在1968
年出版的《孫中山與中國革命的起源》一書中，他充分利用英國外交
部和殖民部檔案，參照各種資料，認真排比鑒別，最後指出：「何啟
的這個叫做『平治章程』的聲明，不是李——孫談判的產物，而是孫
中山後來通過何啟向卜力提出建議的結果，是對總督上述建議的答
覆。」卜力與革新主義同情者的會見是在1900年7月下旬或8月上旬，
上書及提出平治章程顯然應在此後。不過，史扶鄰教授缺乏進一步的
資料對其觀點加以充分論證，因此他謹慎地將自己的看法稱為「暫時
的結論」[3]。或許由於語言文體不相適應，以及對相關的史料史實缺
乏具體認識，學人似乎沒有把握住史扶鄰教授分析陳述的要點和關
鍵，許多參考過該書英文本甚至中譯本撰寫的論著，仍然沿用舊說。

香港中文大學歷史系的倫倪霞博士1986年提交紀念孫中山誕辰
120週年國際學術討論會的論文《興中會前期（1894-1900）孫中山革
命運動與香港的關係》[4]認為，致港督書和平治章程發出的日期可能

---

2 《致港督卜力書》，《孫中山全集》第1卷，第192頁。

3 史扶鄰：《孫中山與中國革命的起源》，北京，中國社會科學出版社1981年版，第183
頁。

4 中國孫中山研究學會編，《孫中山和他的時代——孫中山國際學術討論會文集》，北
京，中華書局1989年版，第902-928頁；臺灣，中研院《近代史研究所集刊》第19
期，1990年6月。

是1900年7月下旬或8月上旬。她對《國父全集》署期7月24日提出疑問，認為如果這是應卜力建議所寫的請願書，應在8月3日以後所寫，但也有可能當卜力致函張伯倫時，該聲明已經在他手中，不過要先瞭解英國政府對這一問題的立場才能將聲明寄出。

由此可見，孫中山上書港督卜力和提出《平治章程》，仍是一樁懸而未決的疑案，有必要依據近年來陸續發現的新史料，在史扶鄰教授工作的基礎上，進一步考訂和闡述有關的過程和細節，使之更加清晰準確。編輯《孫中山年譜長編》時，根據有關資料，本來將孫中山簽署上書的時間定於1900年8月中旬。不知何故，出版時不僅時間有所變動，而且將有關內容肢解成兩截，身首異處，[5]變成7月17日和8月中上旬兩次上書，容易引起誤解。同時，簽署檔不等於實際遞交，其間變化甚多，限於《長編》的體例和篇幅，只能簡略注釋。而且此事牽扯的問題甚多，要想深入瞭解和說明，應有專篇詳論。

二　兩廣獨立

查證孫中山致港督卜力書及提出平治章程的時間，首先應當澄清此事與孫中山、李鴻章合謀兩廣獨立活動的關係。要言之，這兩件事雖然首尾相連，卻沒有直接關係。而平山周《中國秘密社會史》、陳少白《興中會革命史要》、馮自由《中華民國開國前革命史》和《革命逸史》，均將二者混為一談。陳少白、平山周係當事人，馮自由則長期追隨孫中山左右，還一度負責國民黨歷史資料的徵集事務，他們的記述當然不能忽視。但是，上述三種資料均繫事後回憶，大的格局不差，具體細節則不免疏漏舛錯，相互牴牾，特別是馮、陳二人的文

5　陳錫祺主編：《孫中山年譜長編》上冊，第221、227頁。

字，不當不確之處甚多。如陳少白所述時間前後顛倒混淆，他將上書
事放在李鴻章北上之前，與聯李謀兩廣獨立相聯繫，又稱「際此中央
無主」云云，似指8月15日八國聯軍入京，清室西逃之後。至於馮自
由的記載，有時將上書時間置於6月上旬孫中山離開橫濱之前，有時
又繫於6月17日到達香港之際，莫衷一是。

　　將上書港督及提出平治章程與聯李獨立事相聯繫，有一些難以逾
越的障礙。其一，如前所述，上書言及7月28日清廷誅殺許、袁之
事，而李鴻章7月18日已經北上，上書不可能預知未來。其二，儘管
李鴻章北上後，孫中山並未完全放棄聯李意圖，但是，通觀上書全文
及平治章程內容，絲毫未提及聯李之事，似不合情理。因為按照馮自
由等人的陳述，上書及提出平治章程的目的，就在於聯李謀求兩廣獨
立。其三，實現何啟、陳少白等人計劃的關鍵人物是港督卜力，據史
扶鄰教授考證，1900年4月至6月，卜力休假離港，直到7月2日才返任
到港。[6]因此，即使孫中山曾為與李鴻章合作一事上書港督，也絕非
目前所見包括平治章程的這份檔。詹森教授在1950年代撰寫的《日本
人與孫中山》一書中已經明確指出，由何啟起草的檔即致港督卜力書
和平治章程，只是勾畫出一個未來的民族政府的輪廓，而未提到兩廣
獨立。這一事實，便將該檔與向李鴻章提出的建議區分開來。史扶鄰
教授也斷定，雖然不排除早些時候為了李鴻章的利益提出類似建議的
可能性，平治章程應與李、孫交涉無關。

　　孫中山是否曾就與李鴻章合作事上書港督卜力？1900年7月24日
孫中山在神戶對來訪的記者談話時透露：「在香港因5年不許入境之期
尚餘8個月，未能上陸，於客輪中呈書於認識的總督卜力，並得其答
書。總督意為將兩廣合併，舉李鴻章為大統領，孫為李的顧問，均置

6　史扶鄰：《孫中山與中國革命的起源》，第174頁。

於英國的保護之下。」[7]則孫中山當就5年禁令內在香港登陸問題致函或由何啟帶口信給港督，後者乘機建議實行有利於英國的聯李獨立。由此引發兩個問題，其一，孫中山此次南下，來去均經由香港，與港督聯繫在前抑或在後？其二，誰是李、孫合作實行兩廣獨立計劃的始作俑者。對此邱捷在《孫中山上書李鴻章及策動李鴻章兩廣獨立新探》一文中作了細緻的考證，認為1900年6月孫中山離日赴南洋途中，在香港派宮崎寅藏、內田良平和清藤幸七郎等與劉學詢商談之事，並非雙方聯合實現兩廣獨立，在李鴻章是一種懷柔手段，在孫中山則是因糧於敵的策略，即想借機獲得一筆活動經費。策動李鴻章實行兩廣獨立的計劃，應是孫中山6月8日離港赴南洋以後由何啟和陳少白醞釀提出的。

不過，究竟哪一方動議合作，還可進一步探討。據前引孫中山對《大阪每日新聞》記者的談話，李、孫聯合實行兩廣獨立是出自港督卜力之意，孫致函卜力，只是要求解除禁令，以便上岸活動，卜力則乘機提出以與李鴻章合謀獨立為先決條件。孫中山在不同場合的多次談話，均堅持這一說法，如7月18日在「佐渡丸」輪船上告訴宮崎寅藏：「日前我有一個朋友××（何啟）曾和香港××（太守，按即總督）秘密會晤，商議了一件事。（太守）想使李鴻章據兩廣宣佈獨立，用我來施行新政，他暗中作保護人保證安全。他曾以此事勸李。李為了晚年有所回憶緬懷，也有意獨樹一幟，因此表示贊成。」[8]回到日本後，在神戶與來訪者談話時，又對港督「慫恿李鴻章以孫逸仙為顧問，出掌兩省之主權」的提議評判道：「總督所言，蓋係欲以兩廣為英國屬領，以擴張其利益範圍。」[9]7月孫中山等人從新加坡回到

7　1900年7月26日《大阪每日新聞》。

8　宮崎滔天著，佚名初譯，林啟彥改譯、注釋：《三十三年之夢》，第214頁。

9　明治33年7月25日兵發秘第410號。

香港海面時，宮崎寅藏亦稱，孫中山得到港督默許，即將潛入廣東內地，後因康有為製造的宮崎寅藏等人新加破刺客事件的影響，行程無法實現。[10]可見上書的初衷並非聯李而是登陸。

據史扶鄰教授援引英國殖民部檔案，港督卜力於7月2日回到香港後，孫中山的代表（可能是何啟）就前來與之聯繫，然後卜力開始為密謀者發電報向倫敦呼籲。其第一封致殖民部的電報稱，反滿起義預計將於兩周內在湖南和南方爆發。信任他的「中國紳士」向他保證，造反者不排外，並且希望在取得某些勝利後得到英國的保護。李鴻章「正在向這個運動賣弄風情，謠傳他想自立為王或是總統」。在介紹了劉學詢和孫中山談判的情形後，卜力斷定，關於起義計劃的報告看來是可靠的，因此英國應該準備照料它在長江和西江流域的權益。

7月13日，卜力得知孫中山已經離開新加坡前來香港，又電告倫敦，如果贊同孫中山和李鴻章締結一項盟約，對於英國的利益將是最好不過的。卜力獲悉李鴻章表示要武裝革新派，擔心任何大的騷動都可能演變為一場排外運動，認為提出的協議對於南方的安定是個保證。[11]顯然，孫、李聯合實行兩廣獨立，最符合港英當局的利益。宮崎寅藏在《三十三年之夢》中記述了孫中山告以港督的計劃後，大發感慨道：

> 「香港（太守）在義和團事件初期欲推動李據兩廣獨立，擁護孫執掌政權這個企圖，實在可以說是一個別開生面的計劃。（太守）認為若能控制兩廣於自己的手中，則華南之事便不足為患，並可制先機於法國。進行的方法，莫過於拉攏李，如果

---

10 宮崎滔天著，佚名初譯，林啟彥改譯、注釋：《三十三年之夢》，第211頁。
11 史扶鄰：《孫中山與中國革命的起源》，第175頁。

李同意，則進行反清運動的力量在秘密幫會。因此必須拉攏孫
逸仙，必須使李、孫握手。如果李、孫能夠握手，則不費一兵
一卒，兩廣即可獨立，而自己便可在上駕馭」[12]。

　　當然，儘管港英當局希望李孫聯合實行兩廣獨立，卜力也不會平
白無故地提出合作建議。前此孫中山一直通過劉學詢與李鴻章有所聯
繫，6月過港時，還派代表與之正式談判。李鴻章出於安撫廣東的需
要，以及北方大局動搖，東南各省互保的影響，改變戊戌政變以來的
高壓政策，對起義在即的革新勢力採取羈縻之法，對清廷則略顯離異
之心，以留退路。卜力得到有關情報，李鴻章向革命黨賣弄風情，想
自立為王或是總統，確有其事，不僅僅是謠傳。在廣州的畢永年致函
平山周道：「李鴻章氏已出條教，大有先事預防之意，或納粵紳之
請，其將允黃袍加身之舉乎？然天命未可知也。日內又查察滿洲人之
流寓戶口，未審有何措施？此公老手斫輪，如能一順作成，亦蒼生之
福。」[13]粵紳即劉學詢。

　　擔任孫中山與卜力連絡人的何啟，雖是孫中山的摯友，卻是革命
黨的局外人，政治傾向相對溫和，獨立計劃符合他們的意願和利益。
所以，該策略極有可能是何啟與陳少白、劉學詢等人協商的結果，然
後傳達給卜力。其時劉學詢經常往來於省港澳之間，從1899年8月到
11月，李鴻章、劉學詢屢次企圖捕殺康有為，與保皇會結下深仇大
恨。保皇會勤王以兩廣為發動地，「劉豚肥賊」為實現該計劃的一大
障礙，必欲去之而後快。保皇會澳門總局組織人力，多方策劃暗殺，
終於在1900年4月訴諸行動，劉學詢中槍，幸免一死，雙方矛盾進一

---

12 宮崎滔天著，佚名初譯，林啟彥改譯、注釋：《三十三年之夢》，第215頁。
13 楊天石：《畢永年生平事蹟鈎沉》，《民國檔案》1991年第3期。

步激化。劉、李全力對付保皇會，勢成你死我活，而保皇會策劃的勤王規模很大，李鴻章從各方面不斷接到線報，自己掌握的兵力又十分有限，無力在防範保皇會的同時分心戒備革命黨。利用孫中山對付康有為，以分化反對勢力，是劉學詢和李鴻章的一貫方針，現在不僅故伎重演，還能收狡兔三窟之效。劉學詢往來省港之際，與韋玉等人有所聯繫，很可能通過這些管道將廣東當局的意向傳達給港英政府。

可是，港英當局的默許不能完全反映英國政府的意旨。這時英國政府和港英當局在對待中國局勢的態度和策略上認識明顯有別，前者重在考慮以北京為中心的全域利益，後者則主要顧及與其關係最為直接密切的華南，特別是兩廣的形勢。這種分歧在對李鴻章去留及兩廣獨立的態度上表現更為突出。英國政府雖然同意港英當局關於李、孫聯盟的建議，卻強調只有當孫中山得到李鴻章的同意而回來時，才準備撤銷驅逐令。[14]這個前提條件實現的可能性由於李鴻章的北上而不復存在。

孫中山向《大阪每日新聞》記者表示：與李鴻章聯盟一事，完全由卜力發起。即使李鴻章同意，他也不願接受。這一說法遭到卜力私人秘書的否認。[15]孫中山雖然認為李鴻章「既無主義上的信念，又甚缺乏洞察大局的見識。並且年已老邁，對功名事業早亦看透」[16]，對於後者的政治影響力卻不能不充分估價。如果能夠爭取李鴻章，對南方各省督撫如張之洞、劉坤一等將產生重大影響，可以動搖清朝統治的半壁江山。因此，他不僅表示接受合作的建議，而且在李鴻章北上以後仍然沒有放棄爭取的意向。其實，在6月離日南下之前，孫中山

---

14 史扶鄰：《孫中山與中國革命的起源》，第176頁。

15 1900年8月13日、18日《德臣西報》，見史扶鄰：《孫中山與中國革命的起源》，第180頁注3。

16 宮崎滔天著，佚名初譯，林啟彥改譯、注釋：《三十三年之夢》，第214頁。

的起義計劃已經包含迫使一些省份的督撫參加或承認新的華南聯邦共和國這類策略考慮，只是尚未具體落實到李鴻章的頭上。孫中山對記者的公開談話，當有格於形勢的隱諱掩飾。而港英當局不敢承擔策動中國分裂的責任，因為這不但涉及列強在華的複雜利益關係，而且不符合英國政府的對華政策。孫、李聯合實行兩廣獨立動議的提出，在反映有關各方所持的態度背後，可見各自的利害取捨。

三　擬定與遞交

李鴻章北上，使得孫、李合作實行兩廣獨立的計劃流產，革命黨人加緊武裝起義的準備。7月20日，孫中山乘「佐渡丸」離開香港之前，在船上召集全體隨行人員舉行會議，決定了有關起義的組織和軍事方略，決心無論如何要舉事，並派代表將此決定通知卜力。以防止中國南方發生暴亂影響西方在華人士生命財產為決策依據的港英政府，對任何力量任何形式的武裝起義均不贊同，認為這樣會引起對外國人的攻擊，招致列強干涉，從而威脅英國在華南的獨佔地位。也許是瞭解到革命黨發動起義的堅定性無法改變，卜力向孫中山的代理人提出了一項替代性建議，即「起草一份有許多人簽名的送給列強的請願書，清楚地表明他們所要求的改革，並且說明，他們採用這種方法，是為了避免在目前的危機中會使列強感到為難的任何行動，希望在作出最後安排時，他們的要求，將在沒有生命財產損失，以及必然伴隨武裝起義而來的普遍混亂的情況下，得到堅持和承認。」[17]卜力這一建議的目的，已經不是勸阻起義，而是希望孫中山事先向列強表明態度，以免起義後的騷亂使列強藉口出兵，妨礙英國在華南的地位。

---

17 史扶鄰：《孫中山與中國革命的起源》，第181頁。

根據謝纘泰的《中華民國革命秘史》，何啟會見卜力的日期應是7月20日或21日，因為孫中山離港時，只是討論了起義計劃，而未涉及請願書。像史扶鄰教授描繪的那樣，何啟將計劃通告卜力，後者不贊成武裝暴動，建議他們起草一份致列強的請願書，以避免屆時引起國際干涉。卜力的答覆留給何啟的印象是，港督「支持中國南部成立一個共和國」。7月21日，他將這一信息帶給興中會駐港負責人，顯然得到後者的同意，起草請願書的工作很快著手進行。8月1日，何啟在《德臣西報》上發表文章，謝纘泰稱：「該文是以我們的政治綱領為依據的」。8月2日，謝纘泰又與何啟「討論了我們的綱領和向列強呼籲的措辭」[18]。所說的政治綱領和向列強呼籲書，應當就是上港督卜力書和平治章程。

關於上述檔的起草人，陳少白說是何啟用英文起草，馮自由則稱由陳少白召集會員研究後用中文起草，然後由何啟、楊衢雲、謝纘泰等人譯成英文。[19]史扶鄰教授認為，何啟毫無疑問是該聲明的作者，因為其中包含有他一貫提出的建議。從謝纘泰的《中華民國革命秘史》的有關記載看，何啟、謝纘泰等人都參加了函稿的擬定，但這只是指起草以及重要原則的協商而言。目前所見致港督卜力書和平治章程，應不僅僅反映何啟個人的意願。據史扶鄰教授的研究，9月24日卜力呈報給英國殖民大臣另一份請願書的副本，包括中文原件和英文譯文，將兩份請願書進行比較，可以發現幾點差別：

1. 前者上書對象為港督，請英國將所擬平治章程六則轉商列強各國，後者則請求聯軍強制在中國進行改革。

---

18 謝纘泰著：《中華民國革命秘史》，《廣東文史資料‧孫中山與辛亥革命史料專輯》，第310頁。

19 馮自由：《革命逸史》第4集，第189頁。

2. 前者提出中央政府「舉民望所歸之人為之首」,「其主權仍在憲法許可權之內,設立議會」,後者則首先請求讓光緒復位,如其不願,則挑選一位總督處理國家事務,新政府實行類似英國、日本的君主立憲政體。

3. 後一請願書未署名,呈遞者害怕自己的親友祖墳遭到報復,要求各通商口岸的領事保證各界人士的安全,然後才能在類似的請願書上簽名。該請願書批評康、梁維新派向保守派復仇比實行改革更有興趣,因此史扶鄰教授推測可能是孫中山一派試圖遵照卜力建議所寫的請願書。不過,這份請願書更有可能反映以何啟為代表的一些香港改革人士的意見。何啟在《德臣西報》發表的文章中,也曾建議保留光緒皇帝,並贊同把該計劃作為向聯軍推薦的方針。[20]何啟另外上書,應是為了全面表述自己的意願。

從致卜力書和平治章程擬定的過程看,7月24日作為簽署日期的可能性顯然極低。這一天孫中山剛好由香港返抵神戶,他和宮崎寅藏、清藤幸七郎於7月20日乘「佐渡丸」離開香港,航行期間別無他人伴隨,[21]孫中山不可能代擬文件,也不可能于歸抵日本的當天就接到香港寄來的有關文件,並且領銜簽署。

致卜力書和平治章程擬定後,經過包括孫中山在內的興中會領導層的慎重審閱,至於是否正式提交港英當局,則大有疑問。1900年8月下旬,孫中山冒險突然離日赴滬,關於此事,日本外務省檔案有兩則對於論證上書港督和平治章程具有重要參考價值的報告,其一,明治33年8月2日福岡縣報高秘第857號:

---

20 史扶鄰:《孫中山與中國革命的起源》,第184-185頁。
21 明治22年7月25日兵庫縣報兵發秘第412號。

「為與孫中山見面而等候在門司的平山周，上午7點鐘上船與孫中山會談了30分鐘，其談話用英語，且聲音極低，聽不清楚，就清國革命問題相互交換了意見。可確定談話中有下列各項：一、遷都至某地；一、公佈地方自治；一、改革學制；一、為維護國家主權，給各國公使以參贊之權。平山周對為維護主權而給各國公使以參贊之權一事持異議。」

其二，明治33年9月2日福岡縣報高秘第874號：

「日前孫逸仙潛處香港之際，曾與香港總督密議，所圖稍成熟，即刻返回我國。後港督有通告前來，略謂密商之事，當可接受（平山周稱可能是英國的策略）。孫的同志已將各事項草成一紙建議，擬提交香港總督。其事項如下：一、遷都至中心地帶，上海或漢口；二、公佈自治制，中央政府徵求各國公使對施政的意見，地方應徵求各國領事對自治的意見；三公平刑政；四、廢除科舉，作專門之學。平山周此次到長崎，因第二項徵求各國公使意見，將導致喪失獨立，故商議取消。孫抵上海後，將通過英國領事與港督商議，此次採取召開國際談判的辦法，以達到目的云云。」

這兩份報告對於上書的時間和平治章程的內容提供了新的信息。首先，與目前所見平治章程不同，條款由六則減為四則，缺第三項公權利與天下和第四項增添文武官俸。其原因可能是日本偵探未聽清全部談話內容，報告有所遺漏，或由於日方勸阻等其它因素，而取消了其中的兩條。因此，一般所見平治章程的版本很可能只是擬定的底本，而不是最後呈遞的檔。其次，上述資料表明，直到8月下旬，致

卜力書和平治章程仍未正式呈遞。據謝纘泰的記述，致卜力書和平治章程最早在8月上旬完成草擬，然後寄或帶到日本交給孫中山審閱、修改、簽署。9月以前，這一文件尚未交給英國有關方面。

向英國正式提交平治章程，必然引起日本有關各方的不滿，主要還是依靠日本的孫中山因此有所顧忌，遲遲沒有送交英方。同時孫中山眼光不是局限於華南一隅，他對長江流域的大舉計劃也有所寄望，不能僅僅考慮英國的態度。8月中旬，華北局勢驟變，聯軍相繼攻陷津京，原來支持孫中山的日本人鑒於「必將談判媾和，華南獨立最終不能實現，且改革後的善後工作也頗費周章」，感到「達到希望的時機顯然尚未到來。當前應以擴張勢力為主」，態度明顯改變，除宮崎寅藏「繼續支持孫文，以達彼此素志」外，[22]內田良平、末永節等將關注中心轉向北方，田中侍郎、鈴木力等公開在報紙上發表反對言論，指責孫中山現在起事為無謀之舉，對東亞或日本不利，柴田麟次郎等人主張調查後再定方針。另據內田良平稱，一直資助孫中山的平岡浩太郎也略失銳氣，犬養毅則袖手旁觀，他們覺得孫中山在國內缺少實力，又不能與康有為通力合作，成功無望。[23]負責起義籌備事宜的近藤五郎和福本誠突然從香港撤回，而活動經費卻被這些浪人消耗殆盡，受到追究的福本誠一氣之下向傳媒披露孫中山的計劃。面對日本人士的臨陣動搖和內訌，孫中山大失所望，宣佈停止行動，解散人員，自己親赴上海。

孫中山冒險歸國，目的不止一端，目前所知，至少有三重。其一，與北上途中滯留上海的李鴻章及劉學詢繼續接洽兩廣獨立事宜。其二，應梁啟超之約，準備相機赴漢口參加中原大舉。[24]其三，鑒於

22 明治33年8月20日乙秘第442號。

23 明治33年8月18日長崎縣報高秘第300號。

24 宮崎寅藏稱：日本人從華南撤出後，「孫先生意氣甚為消沉。他認為日本的首腦人

日本朝野對自己的態度漸趨冷淡，轉向其它途徑尋求外援，利用前此與港督的聯繫，通過英國駐上海領事與英方洽談，內容之一，當是呈遞致港督卜力書和平治章程。孫中山離日赴滬前曾經表示：「在此之前希望依靠日本人實現宿志，但最終不可，只得離開日本，決定依靠別國。」[25]「我的歸國一事，將會得到日本領事和另一國領事的間接保護。」[26]所謂「別國」、「另一國」即指英國。孫中山此行「預先商定告知英國駐滬領事關於孫的歸清」。8月29日孫中山到滬後，的確與英國領事有過接觸。「翌29夜，孫上岸與英領事秘密會晤，並視察當地情形。」[27]

不過，港督卜力從未承認過收到上書和平治章程，更未將它轉送倫敦。其可能性有二，一是孫中山通過英國駐滬領事轉交，而後者既未交到卜力手中，亦未上報英國政府。二是由於日本人士的勸阻，加上抵滬之際國內政局急劇變化，自立軍起義失敗波及上海，清政府嚴密搜捕孫、康兩派，英國領事勸告有關人員趕緊逃走，以避風頭。而且英國政府的態度與港英當局明顯有別，英國駐滬領事對於孫中山的反應不會積極，所以孫中山未將有關文件呈上。目前看來，後一種可能性更大，史扶鄰教授等人在英國檔案中搜尋多年，迄未發現蹤跡，亦可旁證。

聯英不成，孫中山轉而與劉學詢繼續商討聯李合作事宜。其時老謀深算的李鴻章依然在上海觀望風頭，對清廷的離心傾向有增無減。孫、劉會談的結果，議定「車駕回京」和「車駕西遷」兩套辦法，後

物如此歸來，同盟的士氣必將沮喪，中國同志們的士氣也將大為低落。他心中對南方之事似早已感到絕望，想親自在中央地區掀起波瀾」（《三十三年之夢》，第218-219頁）。

25 明治33年8月25日福岡縣報高秘第845號。

26 《與橫濱某君的談話》，《孫中山全集》第1卷，第199頁。

27 明治33年9月4日福岡縣報高秘第895號。

者即以武力攻佔廣東，成立政府，由劉學詢請李鴻章出面擔任主政，並設法聯合或脅迫兩江總督劉坤一、湖廣總督張之洞。[28]值得注意的是，劉學詢自稱其會談時「頻頻忠告孫，他的企圖不合時宜，勸其暫時設法停止。李鴻章奏請皇帝、皇太后兩陛下無論如何必須返京，但至今尚未批准。至於計劃擁李經芳在廣東自立，到時率同志會合，孫亦答應。」[29]將廣東獨立與孫中山的其它企圖區分開來，贊成廣東獨立而反對其它辦法。

孫中山此次上海之行的目的，主要是通過英國駐滬領事轉交致列強的呼籲書和提出平治章程，以及相機參與中原大舉，與劉學詢繼續接洽廣東獨立事還在其次，而前兩件事之間有著相互依存的聯繫。

卜力建議孫中山提出呼籲書和平治章程，本意是企圖阻止革命黨和保皇會同時在廣東發動起義，希望孫中山以請願方式要求列強說明中國實行改革。因此，上書的直接對象雖然是港督，影響的目標卻是全體列強，即「懇貴國轉商同志之國，極力贊成，除去禍根，聿昭新治」。所以平治章程的內容是關於整個中國的全面改革。[30]史扶鄰教授推斷：「孫中山的集團可能已在考慮推遲計劃中的惠州起義，希望依靠入侵北方的軍隊取得政權。」[31]這顯然是不瞭解孫中山的全部計劃及其行動的一貫準則。孫中山雖然千方百計地謀求外力的支持，但從不指望單純依賴外援實現變革的目標。

對此戊戌政變後一直鼓動外強救上復辟的保皇派也有一定程度的共識。1900年6月康有為致函唐才常，表示請英兵救上南遷固大佳妙事，但四面皆借洋兵，又絕無勢力，只得俯首，一切惟命，「是吾為

---

28 《致劉學詢函》，《孫中山全集》第1卷，第202-203頁。

29 明治33年9月5日駐上海代總領事小田切萬壽之助致青木外相機密第100號。

30 《致港督卜力書》，《孫中山全集》第1卷，第193頁。

31 史扶鄰：《孫中山與中國革命的起源》，第183頁。

安南也，是賣國自吾也，不然亦為波蘭，為埃及，恐土耳其亦不可得也，吾甚憂之。」他主張「即論救上，亦須我軍威既立，能直搗京師，然後請西人從中調和，成之和議乃易。不然南還，亦必吾南中親軍已立，然後可靠。」「我若無軍，亦不可不從權為此。今吾南北之師已集，正宜藉此作威，以著吾新黨之力，然後外交可圖，而內奸知畏。」[32]

　　將孫中山赴滬的兩個主要目的聯繫起來，可能比較容易理解。孫中山贊成和支持唐才常、梁啟超等人的長江、珠江聯合大舉計劃，並不僅僅是以惠州起義回應自立軍，而是興中會直接參與自立軍的組織和起義。自立軍依靠的會黨，正是參加興漢會的湖南哥老會首領，林圭等人作為聯絡機關設於漢口的義群公司，則奉孫中山為首，畢永年、容星橋、王質甫等人參與自立軍，也是孫中山和興中會的組織決議和安排。在孫中山看來，自立軍是興中會與湖南維新黨合作的產物。他接受梁啟超借勤王以興民政的謀略，同意長江流域的聯合大舉使用勤王旗號，還在廣東積極爭取保皇會的合作，平治章程的內容，反映了這些策略性變化。此外，平治章程提議遷都漢口或南京，正是長江大舉計劃的兩個中心城市。由此可見，上書和平治章程較原來設想有所變更，1、地域由廣東或兩廣擴展到長江流域和全國；2、內容適應勤王旗號；3、對象由港英當局或英國擴大到全體列強；4、依靠者由興中會一家轉向各派聯合陣線。

四　宗旨與策略

　　關於上書港督卜力和提出平治章程種種細節的分析，絕不僅僅是

---

32 上海市文物保管委員會編：《康有為與保皇會》，第142-143頁。

個別史料史實的考訂，而涉及對孫中山策略行動的理解甚至政治宗旨的鑒別評估。平治章程和1900年10月孫中山致劉學詢函，至今仍被引為論證孫中山依然依違革命、改良之間的論據，之所以被文本誤導，重要原因在於對有關語境和本事的詳情不甚了然。例如致劉學詢函中，孫中山表示願將原定由李鴻章擔任的主政一職奉與劉學詢，至於稱皇帝還是總統，由其自定。如果不考慮有關內容的來龍去脈和寫信的時間背景，很容易理解為孫中山至此尚未徹底解決政治宗旨的歸屬。然而聯繫前後左右的各種相關史實，情形可能完全改觀。

是函孫中山署期為「明治三十三年九月於臺北」，《孫中山全集》定為夏曆，換算成西曆10月下旬。其實明治紀年均為西曆，不會混用，信中提到「今惠軍已起」，應寫於10月6日惠州起義爆發之後，而不可能是9月。此函係派平山周親往會見劉學詢而作，經查證，平山周於10月15日離開臺灣，10月19日抵達長崎，[33]考慮到孫中山須經由香港獲取惠州起義的消息，則此函當寫於10月15日前的一兩天，孫中山自署的日期或係筆誤。如果這一變更成立，表明孫中山將主政一職讓劉學詢承乏，甚至聽其稱總統或帝王，一是素知劉學詢有帝制自為之心，二來惠州義軍既起，事先預定的餉械接濟辦法全數落空，各項應急措施亦無法實現，如不速籌辦法，只能眼睜睜坐視失敗。而劉學詢擁有鉅資，又掌握李鴻章所購大批軍械，為了讓其「速代籌資百萬」，以解燃眉之急，孫中山不得不投其所好，暫時滿足其部分野心。

義和團事變令中國社會的各種矛盾一齊凸現，空前激化，各種政治勢力紛紛行動起來，試圖扭轉危局，實施政見，擴大實力，按照自己的意願促進事態發展，爭取在未來的政治格局中搶佔有利地位。由

---

33 明治33年10月15日臺灣總督致內務大臣電機受第3101號；明治33年10月20日長崎縣報高秘第416號。

於事起突然，各派均無取代清廷控制全國的實力，不得不尋求合作與妥協，甚至相互利用，因而產生許多變數和機會。孫中山抱負遠大，實力卻有限，要想有所作為，必須充分運用靈活策略。其首要戰略目標，應如他6月離開日本前所表示的：「我們的最終目的，是要與華南人民商議，分割中華帝國的一部分，新建一個共和國。」[34]對此，他後來在新加坡等地反覆強調，並身體力行。至於實現的方式，則不拘一格，孫中山在不同場合，表述有所不同。如對法國駐日本公使哈馬德稱：希望法國同意通過越南向廣西起義者運送武器，以便在廣西建立革命政府，在其領導下向廣東挺進，然後威脅湖南、福建邊界，迫使這些省份的督撫參加或承認一個新的南中國聯邦共和國。[35]

其實建立割據政府只是直接目標，而非最終目的，除了在華南建立獨立政府外，孫中山的還著眼於「推翻北京政府」。正如內田甲後來所說：「孫逸仙及其一派的目的，是以江蘇、廣東、廣西等華南六省為根據，建立獨立的共和政權，逐漸向華北伸張勢力，推翻愛新覺羅氏政權，以達到合縱中國十八省創立東洋一大共和國。」[36]以興中會的實力，不要說全國性目標難以企及，建立華南獨立政權也是力所不逮。孫中山在廣東力爭保皇會的支持，又與湖南革新派聯手大舉興師於長江流域，有無外界的援助，無論是獨立行動還是聯合共舉，對於增強實力地位，提高成功的概率，均有重要意義。因此，最大限度地利用列強和統治者內部的利益分歧及矛盾，盡一切可能爭取援助或改善條件，以實現其戰略目標，成為孫中山的首選策略。

為了在有限的條件下爭取最大的成果，孫中山不僅堅持興中會在

---

34 《孫中山全集》第1卷，第189頁。

35 Jeffrey G.Barlow：Sun yat-sen and the French, 1900-1908，《中國研究專刊》第14期，伯克利加州大學1979年版，第13-14頁。

36 明治33年8月26日福岡縣報高秘第848號。

廣東發動起義，還與各種勢力交涉周旋，以開闢更多的途徑，創造更多的機會和可能，增加討價還價的籌碼，避免陷入孤注一擲或受制於人的困境。他簽署平治章程，既想換取列強尤其是英國的支持，又有助於防止日方的操縱。上書過程和時間的細微變化，反映出孫中山在複雜形勢和不利局面下善於把握利用甚至製造各種機會。他幾乎同時試圖與保皇會在兩廣聯合採取行動，支持長江流域的中原大舉，與汪康年等江浙人士互通信息，與李鴻章、劉學詢洽商合組獨立政府，向英、法政府和殖民當局求援，向列強提出改造中國的全盤計劃，以及依靠日本的援助發動惠州起義，儘管最終無一成功，相對於弱小的政治實力，畢竟以高度靈活的政治智慧增加了行動的能力。只是政壇角逐憑實力取勝，技巧再高，終究無法取代力量決定輸贏。

孫中山施展其高度靈活的策略時，也有一以貫之的原則。一是始終未曾放棄獨立的武裝反清籌備，許多相關的行動，不僅是權宜之計，其目的在於創造發動起義的條件。二是反對繼續維持清朝的統治，他接受梁啟超的建議，審時度勢，因時變通，同意長江聯合大舉「借勤王以興民政」[37]，卻不隱諱與康有為政見分歧，「我志在驅逐滿洲人，而他支持年青的皇帝」[38]。上卜力書與何啟提出的計劃及請願書相比，正是對待清王朝的態度明顯有別。作為策略，孫中山甚至可以形式上接受漢族帝王，卻不承認清朝的統治。興中會獨立發動的惠州起義便旗幟鮮明地表明反清宗旨。起義爆發後，香港《孖剌西報》刊登廣東歸善縣的來函，內稱：「某等並非團黨，乃大政治家、大會黨耳，即所謂義興會、天地會、三合會也。我等在家在外之華人，俱欲發誓驅逐滿洲政府，獨立民權政體。」[39]這顯然是興中會所為。

---

37 丁文江、趙豐田編：《梁啟超年譜長編》，第258頁。

38 《與斯韋頓漢等的談話》，《孫中山全集》第1卷，第195頁。

39 《廣東惠州亂事紀》，《中國旬報》第27冊，1900年10月27日。陳春生《庚子惠州起

　　孫中山的另一信條，是新政權必須實行以代議制為形式的民主憲政，不容許皇權專制。即使後來讓劉學詢自定主政的名號，也是君主立憲的內閣制。這方面何啟與孫中山似有共識，何啟雖然主張保留光緒皇帝，前提是後者必須同意成立立憲新政府，否則就挑選一位總督來取而代之。[40]

　　影響上書和平治章程的內容、對象及提出時間的因素相當複雜，在此過程中，存在許多變數。孫中山的活動目標若限於華南，其主要爭取對象是英國，一旦擴展到全國，則須考慮列強諸國的利害關係。而日本作為孫中山依靠的主要外援和活動基地，其朝野人士的態度一定程度上對孫中山的抉擇取捨發生制衡作用。孫中山最初接受卜力的建議和何啟等人撰寫的請願書，旨在消除港英當局對於興中會即將發動的廣東起義的疑慮，避免英國的干涉阻撓。在日本方面繼續給予支持的情況下，孫中山對於是否正式提交英方，顯然持謹慎態度，兩份檔在他手中停留了近一個月的時間。一旦日方轉趨消極，孫中山的策略天平自然倒向英國，「孫逸仙憤於多年辛苦的計劃頃刻瓦解，勢將離開日本，決定依靠英國。犬養、平岡、頭山等先後極力勸其留在日本等待時機方為得策，而孫對此不同意。」[41]這時上卜力書及平治章程就成了對日本自立和與英國討價還價的本錢。

　　日本人士反對平治章程的理由之一，是有關條款的實施將導致中國獨立主權的喪失。而孫中山認為，只有不惜一切代價發動革命，才能改變中國的地位和命運。早在1897、1898年與宮崎寅藏筆談時，為了阻止歐洲聯盟制我，他就提出：「必先分立各省為自主之國，各請

義記》所載內容稍異。《清議報》第62冊（1900年11月2日）轉載香港《西字日報》則作「本會首並副會首等誓滅滿洲，重立新君，以興中國」。

40 史扶鄰：《孫中山與中國革命的起源》，第185頁。

41 明治33年8月26日福岡縣報高秘第848號。

歐洲一國為保護，以散其盟；彼盟一散，然後我從而復合之。……內
治一定，則以一中華亦足以衡天下矣。」而解決內政問題的方針，則
為靜觀清廷動靜，「暗結日、英兩國為後勁，我同志之士相率潛入內
地，收攬所在之英雄，先據有一二省為根本，以為割據之勢，而後張
勢威於四方，奠定大局也。」[42]庚子年包括上書港督卜力和提出平治
章程在內的一系列活動，都旨在具體實施這一戰略方針。

　　政壇角逐以利害為準則，要得到援助、默許、承認甚至僅僅是為
了分化瓦解對立面，都要付出一定的代價。在一無所有的情況下爭取
外援，不得不以利權為允諾，孫中山也不例外。1900年6月他向法國
駐日本公使表明一旦革命成功，將在南中國給予法國某些特許權，以
換取法國的武器和軍事顧問，以及同意經越南向廣西運送武器。8月
在日本又答應租借滿洲給日本作為報酬，以獲取日本帝國婦女協會會
長下田歌子的資金。[43]9月赴臺灣發動起義，臨行前抱怨日本政府對他
態度冷淡，趕到馬關送行的平岡浩太郎解釋說是出於對英國外交政策
的考慮，而且孫中山對日本無所裨益，反覆勸說其到臺灣後，協助兒
玉總督平定閩粵人士的反抗活動，聲稱：「此君對我國唯一之厚意」，
如能辦妥，「以兒玉總督為首，我等必為君盡力，一定使我政府努力
助君達到宿志。」孫中山當即允諾盡力而為。因此他到臺後「大受歡
迎，極獲優待」[44]。而當形勢變化之際，孫中山能夠審時度勢，很快
調整策略。在臺期間，孫中山知道若強行勸阻臺灣人士反日，反而有
害於自己的事業，所以始終沒有實行。[45]那些色彩紛呈，波詭雲譎的

42　《與宮崎寅藏等筆談》，《孫中山全集》第1卷，第181-182頁。

43　葛生能久：《東亞先覺志士記傳》下卷，東京，黑龍會出版部1936年版，第655頁。

44　明治33年9月28日福岡縣報高秘第1000號；明治33年10月14日福岡縣報高秘第1053
　　號。

45　明治33年12月4日警視總監報甲秘第151號。

活動，像多棱鏡和萬花筒一般，在靈活多樣的策略變化中顯示出孫中
山為實現政治宗旨而不懈努力的執著。

孫中山生平活動史實補正（1895-1905 年）

——《孫中山年譜長編》編輯札記

　　從興中會到同盟會的11年間，在整個孫中山生平活動的研究中是比較定型的一段，國內外許多學者對此用功頗深，成果卓著。從1950年代陳錫祺先生的《同盟會成立前的孫中山》，到1960年代史扶鄰教授的《孫中山與中國革命的起源》及臺灣學者編輯的《國父年譜》，1980年代大陸學者編輯的《孫中山年譜》以及吳相湘先生的《孫逸仙先生傳》，均堪稱里程碑之作。不過，在材料不斷充實之餘，基本格局沒有大的變化。不少學人認為，辛亥革命以前，特別是同盟會成立前的孫中山研究，難以取得較大的進展。參與《孫中山年譜長編》（陳錫祺主編，下簡稱《長編》）的編輯，負責相關時段，對此頗有同感。

　　面對棘手的局面，如何使《長編》這一部分的工作大體反映目前的學術進展和水平？實事求是地分析情況之後，認為在沒有可能獲得大批新資料的前提下，全面、審慎、細緻、恰當地利用現有材料和研究成果，認真加以鑒別考訂，盡可能多地補充新史料，以求在微觀深化的基礎上更加準確地展現孫中山活動的全貌及其與所處時代的內在聯繫，從而為今後的研究提供更加堅實可靠的基礎，應是努力的目標。近年來對孫中山和相關人物研究的進展，為充實和補正以往的結論提供了不少便利。

關於這一階段孫中山思想與活動的研究，幾位海外和臺灣學者的意見值得重視。美國的謝文孫教授所著《辛亥革命的歷史編纂學》一書，將有關孫中山研究的著述按寫作出版年代劃分若干時期，對各時期著述的內容進行比較，得出結論：孫中山的歷史地位是辛亥革命後隨著政治鬥爭的需要被國民黨正統史學抬起來的，並非歷史的本來面目。這可以說是近代史的「古史辨」，其結論未必恰當，卻令人警覺到，必須嚴格注意所據史料產生的年代，以避免受事後觀念的左右。臺灣學者羅剛在《〈國父年譜〉糾謬》中則認為，辛亥革命以前，特別是同盟會成立前的歷史，不易獲得新史料，因而必須充分利用現有回憶資料，並就此對《國父年譜》大張撻伐。這兩種意見如何統一？

對孫中山早期活動的描述，在相當程度上依靠回憶錄，由於孫中山後來的聲望、地位與影響，加上年深月久記憶出現偏差，回憶錄多有不實。以此為基礎，好比沙上築樓，很難穩固，因此宜粗不宜細，宜簡不宜詳。編年譜可以省卻許多枝節，寫論著又有側重、申論和闕疑，無須面面俱到，鉅細無遺。而《長編》一方面要求儘量詳盡，每一細節均無法迴避，另一方面又只能主述譜主事蹟，排比史料，不宜添加主觀成份，功夫須下在史料的比較鑒別和權衡取捨之上，同時還要顧及詳略、體例等諸多方面，因而編者往往陷入左右為難的窘境。針對這種情況，編輯時儘量以原始材料為經，以回憶文字為緯，重構史實。所謂原始資料，也包括各種回憶錄所保存的信函、日記、實物、照片等。至於回憶文字，則防止簡單套用，須參照不同記載，比較鑒別，取其近真的合理成份，尤其注意作者的身份、寫作背景、年代以及材料的來源等。

陳錫祺先生說得好，不弄清楚孫中山的生平活動，就無法準確地評價其思想。在整體上資料不充分的情況下，忽視對史實的訂正，更容易形成錯誤的概念，從而使得通篇立論不穩，甚至得出相反的結

論。況且一本論著具體史實的錯漏在所難免，或許無礙基本格局（當
然太多也不行），而長編、年譜、傳記等形式的著述，如果史實缺漏
過多，勢必影響全書，使讀者產生模糊不清、扭曲變形甚至黑白顛倒
的印象。本文借編輯過程中發現與解決的問題，以及雖經努力仍未獲
得完滿破解的疑難，管中窺豹地反映《長編》的編輯和目前孫中山生
平研究的狀況。限於體例，《長編》不可能將全部考證過程詳細表
述，各種細微末節易於忽略，而其中大量史實雖然瑣碎，卻為學人經
常引以為據，以訛傳訛，有必要集中反映出來，以期引起注意，並為
今後的史料發掘整理和研究提供一些信息。編輯時主要參考了《孫中
山年譜》（北京，中華書局1980年版）、《國父年譜》增訂本（中華民
國各界紀念國父百年誕辰籌備委員會學術論著編纂委員會編印，臺
北，1969年版）以及吳相湘新編《孫逸仙先生傳》（臺北，遠東圖書
公司1982年版）等書，恕不一一注明。

一　澄清史實

　　編輯過程中，根據新發現的資料或對舊史料重新解讀，使一些影
響較大的有爭議問題得到澄清，並對一些已被視為定論的看法提出修
正意見。例如：

1 興中會成立前後孫中山思想的主流問題。

　　這在史學界引起過長期討論，直到1985年3月涿縣孫中山研究述
評國際討論會上，仍然是與會代表關注和爭論的中心議題之一。孫中
山並非天生的革命者，在走上革命道路的歷程中，曾經受過各種愛國
進步思想的影響。問題在於，孫中山究竟何時確立其共和革命的宗
旨。有學者認為，1895年廣州起義時，孫中山還沒有共和革命的思

想。儘管興中會誓詞中有「創立合眾政府」一語，但不夠明確，且係後來的回憶。同時還有不少記載說孫中山當時主張反滿復漢，直到起義失敗後亡走日本，才從日本報刊的報導中知道自己的造反行動是「革命」，於是乎恍然大悟。更有人依據1900年孫中山致劉學詢函中「主政一人，或稱總統，或稱帝王，弟決奉足下當之」的話，斷定孫中山至此共和革命的觀念主張仍在動搖之中。

《長編》徵引了日本京都女子大學山本四郎教授發現的1895年3月4日、4月17日日本駐香港領事中川恒次郎致首相原敬的兩封信，這是中川關於孫中山來訪的報告，裏面明確提到：孫文要在兩廣獨立，建立共和國，並於成功之後選舉總統。[1]這不僅澄清了漢語表述中「創立合眾政府」一語的含混，而且為研究者們重新審定已往的結論提供了第一手資料。引伸下來，既然是年3月孫中山已經懂得共和國、總統等等概念，絕不至於像馮自由或陳少白所描繪的那樣，直到亡命日本時才知道自己的行動是革命。有幸得到孫中山抵神戶當天《神戶又新日報》有關報導的影印件，標題為《廣東暴徒巨魁之履歷及計劃》，而不是《支那革命黨首領孫逸仙抵日》，[2]也無「中國革命黨孫逸仙」字樣，[3]報導中甚至沒有「革命」二字，只是將廣州起義作了極不準確的介紹。聯繫到謝纘泰說廣州起義前「孫念念不忘革命」[4]，則孫中山對革命的認識並非偶然的頓悟。

《長編》所引1900年日本、英國、法國的有關檔案，記載了孫中山在惠州起義前後不同場合的談話中，明確表示要在中國南方建立一

1　《原敬關係文書》第2卷，書翰篇二，第392-396頁。這是日方依據孫中山用英語表達的概念，至於共和國的漢語概念，出現稍晚。

2　馮自由：《革命逸史》初集，第1頁。

3　陳少白：《興中會革命史要》，《中國近代史資料叢刊・辛亥革命》第1冊，第33頁。

4　謝纘泰著：《中華民國革命秘史》，《廣東文史資料・孫中山與辛亥革命史料專輯》，第287頁。

個聯邦共和國，然後推翻清朝專制統治，合縱18省創一東洋大共和國。[5]至於致劉學詢函，合理的解釋只能如馮自由所說：「知學詢素抱帝王思想，故即以主政一席許之，而自挽兵政。其用意無非欲得其資助鉅款，以達革命之目的而已。」[6]

　　孫中山出此下策，也是情非得已。這封信的寫作時間，原函署為「明治三十三年九月於臺北」，本應為西曆，因為函內提到10月6日惠州起義事，故前依陰曆推斷為10月下旬。但此函係托平山周帶往上海交給劉學詢，據日本外務省檔案，平山周於10月15日已經離開臺灣，[7]所以日期應在10月中旬以前，原來的署期疑誤。這時惠州義軍節節進取，而武器彈藥奇缺，臺灣的日本殖民當局改變事先承諾，勸告參與其事的日本人士撤離，原定由日本運械的計劃，也因中村彌六舞弊而告破滅。孫中山束手無策，迫不得已只好向劉學詢讓步，抱萬一之希望，想以一頂皇冠誘其給予援助。無論手段是否足取，這無疑並不代表孫中山的政治宗旨。如果將其種種說詞全都當成宗旨的直接表露，就無法得出合乎邏輯的結論。所以，用致劉學詢函來證明孫中山的信仰仍在動搖彷徨，根據不足。而1897年孫中山與宮崎寅藏關於共和革命的談話，確是肺腑之言。確定孫中山的宗旨，不僅有助於對興中會的性質作出恰當判斷，而且會對正確認識中國社會的客觀要求、革命派與維新派初期的關係以及中國政治變革的道路等一系列問題產生積極的影響。

5　Jeffrey G.Barlow: Sun yat-sen and the French，1900-1908，《中國研究專刊》第14期，伯克利加州大學1979版，P14；明治33年6月11日神奈川縣報秘甲第212號，8月26日福岡縣報高秘第848號。

6　馮自由：《革命逸史》第4集，第96頁。

7　明治33年10月15日臺灣總督府報受第310號。

2 關於孫中山與犬養毅早期關係的幾封信的時間。

1970年代中期，彭澤周根據日本學者發現的犬養毅致陸實的4封信，撰寫了《犬養毅與中山先生》一文[8]。後來吳相湘所撰《國父傳記新史料》，又附錄了孫中山致犬養毅一封信的影印件[9]。編輯過程中，發現兩位學者對這幾封信的時間的判斷不盡吻合。吳文所附孫中山原函署期為「十月十八日」，無年份，作者判定為1897年，即孫中山自倫敦回到日本，又由橫濱移居東京不久。《孫中山全集》即取此說。僅從是函內容看，似無不可。不過，犬養毅接到是函的次日，曾經致函陸實道：「想孫逸仙所陳之事，請見附函。所談之事已粗有眉目。向孫所陳之事，務請吾兄竭力協助，除麻溪（按即神鞭知常）、孫外，弟亦參加共商此事。資金可由友人中設法之。孫之約會內容在附函已大略談到。」並將孫的來函附上。三天後，犬養毅又函告陸實：「關於孫逸仙之事，刻下已與彼磋商，以千元左右即可出發前往。孫之期盼吾兄鼎力以助之。」彭澤周據以斷定為1902年10月，所談之事為赴越南與法國印支當局接洽。兩說相較，當以彭文的判斷更為合理。

1897年8月，孫中山回到日本，原想由西南邊境潛入內地，再次發動起義。他將計劃告知宮崎寅藏，由後者轉告其它日本人士。犬養毅、尾崎行雄和小村壽太郎等人商議後，認為「遠入內地非得策」，要他暫住東京，伺機而動，因此孫中山放棄了原來的設想。孫的其它各次出行，1901年4月至6月以及1903年9月兩度赴檀香山，月份不符。剩下的只有1902年的越南之行，因為總督韜美函召，孫中山早欲前往，苦於經費無著，一直未能成行，故請犬養毅等人幫助。犬養毅

8　《大陸雜誌》第52卷第3期，1977年。

9　《傳記文學》第36卷第3期，1980年3月。

函中提到的神鞭知常，與孫中山結識也在1897年以後。可見此函以挪至1902年為宜。

彭澤周對犬養毅致陸實第一封信的時間判斷，則有問題。是函主要不是講孫中山的事，其中提到「孫逸仙之日本名為中山樵，現居橫濱外人居留地法國郵船公司黎炳（煥）墀處」，署期為「念七夕」。彭澤周根據《國父年譜》誤引的日本外務省檔案，認為孫中山1897年8月29日遷居黎煥墀處，9月27日與宮崎寅藏、平山周訪晤犬養毅，更由此推論「中山樵」一名的由來，與平山周的回憶不相吻合。此節關鍵，在於孫中山與黎煥墀的關係。據日本外務省檔案和孫中山1900年10月23日致菅原傳函，黎住址為橫濱海岸九番地佛國郵船會社。而孫中山1897年到日本後，先住在橫濱外國人居留地百十九番陳少白處，後移居東京。1898年8月又從東京遷回橫濱，在一百三十七番地小住，於8月29日遷入一百二十一番地溫炳臣家。此後，孫中山每到橫濱均在溫家住宿。彭澤周所譯犬養毅函，很可能是把通信地址誤認為住所了。

如果這一推論無誤，那麼是函的寫作時間不會是1897年。孫中山在1897年與宮崎寅藏筆談時開列的地址是「百十九服部二郎方」即陳少白家，以後寫信給香港輔政司洛克哈特，地址為「橫濱山下町五十三番地文經商店」。目前所見資料，孫中山最早以黎煥墀處為通信地址是在1900年10月，[10]與馮自由所記「庚子後孫總理常假其（按指黎煥墀）寓所為通訊機關」相符。[11]而且孫中山是在「每次漫遊歐美南洋」時，才托黎煥墀收寄書函。[12]1898、1899兩年內，孫中山一直未離開日本，似無必要另外設置通訊處。

10　《孫中山全集》第1卷，第201頁。

11　馮自由：《革命逸史》第3集，第34頁。

12　馮自由：《革命逸史》初集，第135頁。

至於第二函，彭澤周的判斷基本準確。函中提到平山周與孫中山同寓，另有王、陳二人，亦係廣東革命黨，其生活費用由平岡浩太郎按月送上等，確是1898年2月的事。不過，此函署期「二月三日」，據日本外務省檔案，陳少白1月20日由臺灣返回橫濱，2月17日，與香港來的王質甫一同遷往東京牛込區鶴卷町四十番地孫中山寓所，[13]具體時間仍有所差異。

3 與菲律賓獨立軍代表彭西初識的時間。

孫中山與菲律賓獨立軍外交代表彭西結識並助其購運軍械，於中菲兩國的獨立和革命運動關係甚大。據思里克・利爾普斯的《日本與菲律賓革命》（《菲律賓社會科學評論》，菲律賓大學1934年版），彭西於1898年6月29日到東京，受到大隈重信首相和伊藤博文等一大批日本知名人士的歡迎。美國學者詹森所著《日本人與孫逸仙》一書，又將孫中山與彭西的會晤定於此後不久。菲律賓學者的有關著述亦如此說，後來的著作均予以沿用。

可是此事疑點尚多。首先，據稱彭西到日本是為了購買軍械，而1898年6月，菲律賓革命軍還沒有從日本獲取軍火的必要，更不可能買武器去同美國打仗，因為當時後者正積極利用阿奎那多來反對西班牙。是年5月，美國駐香港總領事懷爾德曼和艦隊司令杜威為阿奎那多（Emilio Aguinaldo）購買並運送了價值5萬比索的軍火，而這時菲軍總共只有15000人，所以阿奎那多在宣言中稱美國為「救星」。直到1898年10月，美西戰爭已成定局，杜威才背信棄義，搶走菲軍的船隻，實行海上封鎖，強佔馬尼拉。1899年2月4日，由於美軍的挑釁，菲律賓抗美戰爭爆發。這時菲律賓軍隊激增到5萬人，其中3萬人只持

---

13 明治32年2月17日神奈川縣報秘甲第57號。

有舊式冷兵器，於是向日本購械之事迫在眉睫。

其次，1898年6月29日彭西抵達橫濱，是以革命委員會秘書長的身份與日本政界接觸，會見和田等人，希望簽訂協定，而不是作為外交代表。[14]1898年6月23日，阿奎那多頒佈法令，在香港成立一個掌管在外國的領事的外交和宣傳活動的革命委員會，其行動和政策直接對總統負責。8月24日，阿奎那多又命令香港革命委員會由5人組成理事會，向外國派遣外交代表，先後有8人被分別派往美、日、英、法、澳洲等國，其中日本2人，除彭西外，還有福斯蒂諾·利喬科。[15]宮崎寅藏《三十三年之夢》記，1898年9月他在香港由宇佐穩未彥介紹，與後來任菲律賓獨立軍外交部長的「×××先生初次晤面」，[16]據《國父抵日年表》和《總理年譜長編初稿》，此人即彭西。當時他並不瞭解日本各界對菲律賓獨立軍的態度，只能通過宮崎寅藏表示請日本幫助之意，由後者判斷日本政府能否予以秘密援助。《國父年譜》的編者大概是發覺了這個矛盾，把宮崎寅藏到香港的時間定於1898年夏，而把孫中山與彭西的會見放在6月。但事實上宮崎寅藏9月7日才到香港，10月19日離開，[17]不可能成為6月孫、彭會面的牽線人。

退一步說，即使如近藤秀樹所判斷的，宮崎寅藏在香港遇見的不是彭西，兩人相識是1899年3月在橫濱由孫中山介紹，那麼《三十三年之夢》又記，1899年2月孫中山到東京對陽館訪宮崎寅藏協商為菲軍購械事時，說：「菲島獨立軍的委員現在已到橫濱，……他非常高

---

14 《彭西革命書信集，1897-1900》（Mariano Ponce: Cartas Sobre La Revolucion 1897-1900），馬尼拉1934年版，P116-126。

15 〔菲〕葛列格裏奧·F·塞迪著，林啟森譯：《菲律賓革命》，廣東人民出版社1979年版，第356-357頁。

16 宮崎滔天著，佚名初譯，林啟彥改譯、注釋：《三十三年之夢》，第128頁。

17 近藤秀樹：《宮崎滔天年譜稿》，《辛亥革命史叢刊》第1輯，北京，中華書局1980年版。

興，並以購買〔武〕器這件大事相託。我初次見面便得受此重託，義當盡力以報，何況彼此的志向相同呢？」兩人似相識不久。孫中山總不至於將彭西急如星火的大事拖上半年之久，才著手行動。所以，《長編》不再採用疑竇頗多的舊說。宮崎寅藏是1899年2月搬到對陽館的，3月14日彭西與宮崎、平山周在東京舉行過記者招待會，故酌定孫中山與彭西結識於1899年初。

4 興漢會成立及東京紅葉館送別會。

興漢會和紅葉館送別會，是孫中山在興中會領導層的地位變化以及興中會將活動範圍擴展到長江流域的重要轉折，但是眾說紛紜。首先是兩次會的時間。《國父年譜》將兩會定於己亥（1899年）冬，《孫中山年譜》定為1899年11月，《宮崎滔天年譜稿》將興漢會定於9月，紅葉館送別會定為12月。其它著作和資料的記載更為混亂，有的甚至將後一會挪至1900年春，而且內容彼此矛盾。解決的關鍵，是從日本外務省檔案中找到了陳少白和宮崎寅藏從香港到橫濱以及陳少白和孫中山由橫濱赴東京的時間，得知陳少白於1899年11月9日由香港抵達橫濱，11月13日與孫中山赴東京，11月19日孫中山返回橫濱。兩天後，陳少白亦返回橫濱，隨即乘船赴香港。[18]這樣，可以大致確定紅葉館送別會是在11月中旬，即13日至19日之間。由此反推，興漢會成立當在10月上旬。因為會後宮崎寅藏等人在香港滯留一段時間才返回日本。據《宮崎滔天年譜稿》，10月19日，宮崎寅藏在香港向訪歐歸國途經香港的近衛篤麿辭行，則是時興漢會當已成立。興漢會成立後，宮崎寅藏宴請與會人員，據日本對陽館所存參加宴會的各人所作詩畫的掛軸，時間為10月11日夜，那麼興漢會成立的具體時間，當在此前二三天。

---

18 明治33年11月21日神奈川縣報秘甲第589號。

其次是與會人員。興漢會與會者共12人，其中哥老會7人，三合會2人，興中會3人。舊記哥老會有師襄，據《三十三年之夢》，此人與保皇會關係密切，因試圖干擾會議，被宮崎寅藏和陳少白等藉故支走，已於會前離港赴滬。又有辜仁傑、辜鴻恩，實為1人。據是年底在漢口會見過這批會黨首領的田野桔次記，辜姓者僅1人，素隸於劉坤一部下，[19]與清政府通緝富有票會名單所列辜鴻恩在南京當營官吻合，而辜鴻恩就是辜仁傑。[20]參與興漢會者在宴會上所作詩畫可以印證。其中長沙辜人傑題詩為：「負劍曾來海國游，英豪相聚小勾留。驪歌一曲情何極，如此風光滿目愁。」馮自由《畢永年削髮記》載另一辜姓者為辜天祐，此人曾在《湘報》第155、158冊撰文《公法律例相為表裏說》、《論孟子以小事大以大事小為交涉學之精意》，不似會黨中人。題詩者還有長沙譚祖培和柳秉彝，當亦為哥老會首領。譚詩曰：「天假奇緣幸識荊，話別愀然萬念生，感君厚意再相見，且將努力向前程。」柳以松樹作畫，題詞曰：「將相之才，英雄之質，至大至剛，唯吾獨識。」另有李權傑、張燦二人，前者當為李堃山，後者為張堯卿。李詩曰：「牡丹花伴一枝梅，富貴清閒在一堆。莫羨牡丹真富貴，須知梅占百花魁。」張詩曰：「久聚難為別，秋風咽大波。柔腸君最熱，離緒我偏多。恨積欲填海，心殷呼渡河。如膠交正好，此去意如何。」

興中會方面與會者有王質甫，詩曰：「英傑聚同堂，詩酒記離觴。從今分別去，戎馬莫倉皇。」據宮崎寅藏1898年10月7日從香港致平岡浩太郎和犬養毅函，王時為興中會香港方面的負責人，[21]以後

---

19 田野桔次：《最近支那革命運動》，第9-23頁。

20 張篁溪：《戊戌政變後繼之富有票黨會》，中國史學會主編：《中國近代史資料叢刊‧戊戌變法》第4冊，第287頁。

21 陳鵬仁譯：《論中國革命與先烈》，第108-109頁。

才由陳少白接替。王質甫應參與興漢會。陳少白詩為「溫溫其人，形影相倚。昔有書紳，今昧此意。」據謝纘泰《中華民國革命秘史》，楊衢雲時在日本，不可能與會。題詩的還有尤列，詩曰：「碧血橫流痛有餘，卻離君面只斯須，不知三尺孤墳影，葬近南朝香冢無。」從詩意及附識「羊城暴吏凡殺人後將屍身棄南漢素馨墳側為多。尤列揮淚題之」看，疑為後作。

又有安永生者，題詞曰：「金石之交，生死不渝，至情所鍾，題此襟裾。」[22]此人應為畢永年，古哀州死者（林紹先）輯《自立會人物考》稱，其時畢永年易名安永松彥。1900年1月26日林圭致容星橋書中所提及的「安兄棄事為僧」，「安兄鼓於內。考其鼓內之始，安兄會中鋒於東而定議，與平山周遊內至漢會弟，乃三人同入湘至衡，由衡返漢。其中入湘三度，乃得與群兄定約。既約之後，赴港成一大團聚」等等的「安兄」，即畢永年。[23]由於這次宴會除參與興漢會的12人外，另外還有4人，所以不易分辨確認興漢會的與會者，但畢永年及其所率領的湖南會黨頭目，千里迢迢趕赴香港，理應毫無例外地參加。這樣排得名單如下：哥老會為李雲彪、楊鴻鈞、辜人傑、柳秉彝、李堃山、張堯卿、譚祖培，三合會為曾捷夫、鄭士良，興中會為陳少白、畢永年、王質甫。

關於紅葉館送別會，各書多記為送別唐才常、林圭等20餘人歸國，實為送別林圭歸國。陳少白《興中會革命史要》記，當晚林圭即搭車到橫濱登輪。與林圭同船赴滬的田野桔次說，他與林圭由神戶出

---

22 上村希美雄先生贈中山大學孫中山紀念館原件照片，另參見上村希美雄《從對陽館所藏史料看興漢會的成立》，日本辛亥革命研究會編：《辛亥革命研究》第5號，1985年10月。趙軍中譯文載中南地區辛亥革命史研究會主編《辛亥革命史叢刊》第8輯，中華書局1991年版。

23 杜邁之、劉泱泱、李龍如輯：《自立會史料集》，第300、322頁。

發，「尚有四人，十日前已先發」。到上海時，「唐（才常）君與張通典相俟已久。由是始得識唐君。」則唐才常並非與之同時歸國。他們在唐才常寓所小住一周，便與沈藎一道赴漢口。[24]陳少白與田野桔次均繫當事人，且田野之書刊於1903年，所記較為準確。

4位先期歸國者，據章士釗《沈藎》、黃鴻壽《自立軍之失敗》以及馮自由《中華民國開國前革命史》，當為李炳寰、田邦璿、蔡鍾浩、秦力山。而傅慈祥、黎科、鄭葆晟、蔡承煜等直到1900年暑假始歸國與謀，不數日即遇難。林圭等5人係東京高等大同學校同學，行動較自由，而傅慈祥等分別就讀於成城學校、東京帝國大學和日華學堂，又係官費，約束較多，似不能擅自離校達半年之久。據《清議報》第53冊載沈翔雲《恭祝皇上萬壽演說》，傅慈祥於1900年7月在東京中國學生會第二次集會上，還演講過「皇上聖德」。梁啟超4、5月間的通信中，也提及黎科尚在東京，如4月20日致唐才常函謂：「日本東京有北洋所派留學生數人，極可用。兄急需時，可飛函湘、孺二人調來。」5月9日致葉覺邁函稱：「黎、張兩君熱力，已足與我一氣，大可喜慰，乞為我常常致意。忠、雅等若有事於江左，弟意欲兩君中以一人往助之，預備有交涉之事也。」[25]

至於同行者20餘人之說，很可能是從《中華民國開國前革命史》的有關敘述演變而來，沒有切實可信的證據。參加自立軍起義的留日學生分別歸國，反映出自立軍政治傾向的不一致。林圭等人雖然出自大同學校，與孫中山的關係卻更加接近，政治主張也更為激進，在籌備過程中，他們與興中會的代表容星橋緊密合作。而傅慈祥、黎科等人則與保皇會關係密切，他們的加入，表明自立軍的政治天平向保皇會方面有所傾斜。

---

24 田野桔次：《最近支那革命運動》，第7頁。
25 丁文江、趙豐田編：《梁啟超年譜長編》，第226頁。

5 《中國旬報》第19期所刊章太炎來書的收信人。

1900年7月26日，一批愛國人士在上海發起成立中國議會，7月29日，章太炎提出《嚴拒滿蒙人入國會狀》，「會友皆不謂然。憤激蹈厲，遽斷辮髮，以明不臣滿洲之志，亦即移書出會」，於8月8日投函《中國日報》，函謂：

> 「□□先生閣下：去歲流寓，於□□□君座中得望風采，先生天人也。鄙人束髮讀書，始見《東華錄》，即深疾滿洲，誓以犁庭掃閭為事。自顧藐然一書生，未能為此，海內又鮮同志。數年以來，聞先生名，乃知海外自有夷吾，廓清華夏，非斯莫屬。去歲幸一識面，稠人廣眾中不暇深談宗旨，甚悵悵也。」

函中「□□□君」，應為梁啟超，「□□先生」，有學者定為陳少白，[26]似以「中山先生」更為妥貼。其一，1899年章太炎在橫濱與孫中山初次會面時，陳少白已赴香港，並不在座。據1899年5月12日陳少白從香港致犬養毅函，此行係往香港籌款，兼及辦報和重振會務事。[27]過去以為陳少白赴港在是年秋季，顯然有誤。孫中山與章太炎會面，應在7月8日。根據日本外務省檔案的有關報告，章氏此次日本之行於6月14日抵達神戶，18日到東京，次日往訪梁啟超。21日，遷往梁的寓所。7月4日赴鎌倉，8日到橫濱，住在大同學校，當天返回東京[28]。梁啟超與章太炎同赴鎌倉，而先期於7月7日到橫濱，住在

---

26 駱寶善：《關於章炳麟政治立場轉變的幾篇佚文》，《歷史研究》1982年第5期。

27 《陳少白致犬養毅函》，《辛亥革命史叢刊》編輯組編：《辛亥革命史叢刊》第3輯，第127頁。

28 明治32年7月10日神奈川縣報秘甲第322號。

《清議報》館，7月15日返回東京。[29]此後章太炎一直住在東京，直到8月15日再由東京往橫濱，次日乘船歸國。7月17日，章太炎致函汪康年，告以「興公亦在橫濱，自署中山樵，嘗一見之。聆其議論，謂不瓜分不足以恢復，斯言即浴血之意，可謂卓識。惜其人閃爍不恒，非有實際，蓋不能為張角、王仙芝者也。」[30]可見7月8日是兩人在橫濱相見的唯一機會。在此前後，梁啟超與孫中山多次會晤，只提到邀楊衢雲同來，而未言及陳少白，亦可佐證當時陳少白不在日本[31]。

其二，這一時期，章太炎對孫中山有若干評論，談到與之會面的事，均未提及陳少白。另外1903年5月章太炎致函陶亞魂、柳亞盧，說：「鄙人自十四五時，覽蔣氏《東華錄》，已有逐滿之志。丁酉入《時務報》館，聞孫逸仙亦倡是說，竊幸吾道不孤，而尚不能不迷於對山之妄語。」[32]內容可與《中國日報》的來書相映證。

其三，來書稱：「數年以來，聞先生名，乃知海外自有夷吾，廓清華夏，非斯莫屬」，陳少白當時尚無如此聲望。

其四，陳少白本人亦無任何記載。《興中會革命史要》敘述他到香港之後，即忙於籌備辦報和聯絡會黨等事，興漢會成立後才到日本向孫中山報告，在橫濱、東京逗留了10餘日。馮自由說：「梁引章同訪孫總理、陳少白於橫濱，相與談論救國大計，極為相得」[33]，可能有誤。如果此說成立，則此時章太炎對孫中山的評價極佳。前此他對孫中山尚未充分肯定，以為不足以與汪康年相匹配。到了1902年，他仍然推崇孫中山，不過是與梁啟超相提並論。1906年以後，兩人關係逐

---

29 明治32年7月8日、15日神奈川縣報秘甲第317、333號。

30 湯志鈞編：《章太炎政論選集》上，第92頁。

31 馮自由：《中華民國開國前革命史》上編，第45-46頁。

32 湯志鈞編：《章太炎政論選集》上，第191頁。

33 馮自由：《革命逸史》初集，第80頁。

漸疏遠。由此可見章太炎的思想發展和孫中山地位聲望的變化過程。

6 17省留學生參加同盟會問題。

1905年孫中山由歐洲返回日本，很快發起成立中國同盟會。7月30日，召開籌備大會。《孫中山年譜》和《國父年譜》根據馮自由等人的記載，稱是日與會者已包括17省人士，惟甘肅無留學生，故無人參加。而與會人數，則有40餘人、50餘人、60餘人、70餘人各說[34]，莫衷一是。《長編》據《同盟會成立初期之會員名冊》，參照其它各種記載，共輯得留學生75人，即：黃興、宋教仁、陳天華、曾繼梧、余范傅、郭先本、姚越、張夷、劉道一、陶鎔、李峻、周泳曾、郭毓奇、高兆奎、柳暘谷、柳剛、宋式善、範治煥、林鳳游、郭家偉（以上湘籍）、時功玖、耿覲文、塗宗武、余仲勉、曹亞伯、周斌、陶鳳集、葉佩薰、王家駒、蔣作賓、李仲逵、劉通、劉一清、李葉乾、範熙績、許緯、陶德瑤、劉樹湘、田桐、匡一（以上鄂籍）、黎勇錫、朱少穆、謝延譽、黃超如、區金鈞、馮自由、姚東若、金章、汪兆銘、古應芬、杜之杖、李文範、胡毅生、朱大符、張樹楠、何天炯（以上粵籍）、馬君武、鄧家彥、譚鸞翰、盧汝翼、朱金鐘、藍得中、曾龍章（以上桂籍）、程家檉、吳春陽、王天培、孫檠、吳春生、王善達（以上皖籍）、陳榮恪、張華飛（以上贛籍）、蔣尊簋（浙）、康保忠（陝）、王孝縝（閩）、張繼（直）[35]。其中湖北、湖南

---

34 參見田桐：《革命閒話》，《太平雜誌》第1卷第2號，1929年11月；馮自由：《革命逸史》第2集；馮自由：《中華民國開國前革命史》上編；湖南省哲學社會科學研究所古代近代史研究室校注：《宋教仁日記》，長沙，湖南人民出版社1980年版；鄒魯：《中國國民黨史稿》，重慶，商務印書館1944年版。

35 丘權政、杜春和選編：《辛亥革命史料選輯》上冊，湖南人民出版社1981年版，第98-155頁。該名冊混用西曆、夏曆，凡署乙巳六月二十八日或7月30日者，均予以錄入。安徽程家檉等數人未署日期，參照其它資料酌定。

各20人，廣東16人，廣西7人，安徽6人，江西2人，浙江、陝西、福建、直隸各1人，共10省。加上孫中山、宮崎寅藏、內田良平、末永節，合計79人。

其餘各省最早入盟者為：8月6日江蘇高劍父，8月30日四川許行懌，8月14日山西谷思慎，8月19日河南曾昭文，8月21日貴州於德坤、平剛，9月9日雲南呂志伊。山東徐鏡心署期六月七日，疑誤。由他介紹入會者最早在8月下旬，故不會晚於8月。由此可見，直到8月20日同盟會正式成立，會員籍貫仍然只有15省。9月30日孫中山函告陳楚楠：「現時同志已有17省之人，惟甘肅無之，蓋該省無人在此留學也」[36]，當然是事實。後來孫中山寫《革命原起》，稱：「開第四會於東京，加盟者數百人，中國十七省之人皆與焉，惟甘肅省無留學生到日本，故闕之也。」，顯係泛指，也說得過去。而馮自由等人將17省人士加盟說具體到7月30日大會，則有違史實了。

二　補正細節

對具體細節加以訂正或使之更加詳實，是《長編》最為繁重艱巨的工作，主要有以下幾方面：

1　日期補正。

(1)1895年廣州起義失敗後，孫中山亡走日本，舊記時間為10月30日離開香港，11月12日抵達神戶。現據安井三吉編《孫文與神戶簡譜》所引1895年11月6日、10日和12日《神戶又新日報》的有關報導，孫中山所乘「廣島丸」係11月2日離開香港，9日抵達神戶，12日

36　《孫中山全集》第1卷，第287頁。

由神戶赴橫濱。則時間相應調整。

　⑵1897年7月，孫中山由倫敦乘「努美丁號」輪船赴加拿大，其抵達蒙特利爾的日期，《孫中山年譜》和《國父年譜》根據司賴特偵探社的報告，定為7月11日，其實應為7月12日。該偵探社的跟蹤報告前後兩歧，開始說孫中山7月11日到蒙特利爾，7月12日前往溫哥華，以後又改為7月13日離開蒙特利爾。此行孫中山甫抵蒙特利爾，即由一位名叫席奔生的男子接往旅館，入宿後馬上進寫字間分別致函鄺華汰和梅宗炯，兩函署期均為7月12日於滿地可（即蒙特利爾），函中均謂今天上午抵達此地，可見偵探社頭一次報告的日期有誤。

　⑶1897年8月，孫中山返抵橫濱，《國父年譜》和《孫逸仙先生傳》根據日本外務省檔案，稱孫中山先住在外國人居留地一三七番旅館，至8月29日遷往一二一番地陳少白寓所，其實大謬不然。因為1897年8月18日日本神奈川知事中野健明向外務大臣大隈重信報告中明確說孫中山在居留地百十九番陳少白處止宿，[37]何以數日後陳少白即遷居？查其究竟，原來是誤將1898年8月30日繼任神奈川縣知事淺田德則的報告挪前一年。這時孫中山從東京遷回橫濱，先在一百三十七番地旅館暫住，8月29日遷往一百二十一番地溫炳臣家。是則報告說孫中山「極少外出，常獨居一室，閉戶讀書，亦無來訪之人，只與東京憲政黨員犬養毅通過一兩次信。」[38]吳相湘《孫逸仙先生傳》據以論道：「孫先生征塵甫卸即埋頭書卷，這是他對讀書已成濃厚興趣的習慣。至於寄信犬養毅，應是南方熊楠請田島擔致信尾崎行雄發生功用。」真是差之毫釐，失之千里。吳著廣徵博引，所獲甚豐，惜於史料考訂方面略嫌粗糙。尤為突出者，將1915年3月孫中山致小池張

---

37 明治30年8月18日神奈川知事中野健明致外務大臣大隈重信秘甲第403號。

38 明治31年8月30日神奈川縣知事淺田德則致外相秘甲第700號。

造函挪至1914年，用以證明1914年5月的致大隈重信函不可信，幾有文過飾非之嫌了。

(4)1901年元旦，留日學生的勵志會在東京上野精養軒召開慶祝會，尤列等人應邀出席。馮自由各書均明確記載會期為陽曆新年，而《孫中山年譜》定作夏曆春節，即2月19日。查尤列於1900年10月30日因惠州起義被清政府通緝，避往日本，與孫中山「議定革命進行二種計劃，一聯絡學界，一開導華僑」[39]，故有蒞會之舉。菲律賓的彭西也應邀出席了這次聚會。據日本外務省檔案記，彭西於是年2月8日赴香港，4月25日才返回神戶，不可能出席春節慶祝會，故仍從馮自由說。

2 人物補正。

(1)1897年8月16日，孫中山從加拿大回到橫濱，《國父年譜》和《孫逸仙先生傳》記，舟抵港時，同志陳璞前來迎接登岸，資料來源為日本外務省檔案。《國父年譜》且將陳璞與陳少白分作二人。其實陳璞即陳少白。據日本松本武彥考證，陳璞寓所為居留地一百十九番，而孫中山與宮崎寅藏筆談所開地址為「百十九服部二郎方」，服部二郎即陳少白的日本名字。另外，「璞」字音讀與「白」相同，陳少白本名陳白。日本外務省檔案有關陳璞在臺灣活動的記載也與陳少白的行蹤一致。[40]查《國父年譜》等書所引日本外務省檔案原件，沒有陳璞前往迎接的內容，只是說孫中山在其寓所止宿。據陳少白《興中會革命史要》，孫中山上岸後逕赴其寓，這時陳少白尚未起床。

(2)到橫濱不久，宮崎寅藏來訪，孫中山向他陳述了自己的政治主

---

39 馮自由：《革命逸史》初集，第31頁。

40 《日本的辛亥革命遺跡與史料》，《辛亥革命研究》第2號。

張。這段談話各書（包括《孫中山全集》）均記為與宮崎寅藏、平山周的談話。然而細讀出處《三十三年之夢》，發現對象實為宮崎寅藏一人。是日清晨，宮崎寅藏因昨日造訪不值，一大早便獨自趕到陳少白寓所，見到孫中山。孫向其侃侃而談，詳述政見，宮崎寅藏聞言如獲至寶，大喜過望，急忙跑回旅館將平山周帶來。所以這番話只是對宮崎寅藏一人所講。宮崎寅藏不通漢語，亦不懂英文，只能以筆代口，進行筆談。目前保存二人筆談的若干殘片，便是明證。《三十三年之夢》所述，當是根據回憶或筆談手稿綜合整理而成。

　　⑶1900年6月，孫中山乘「煙狄斯號」船由日本赴香港，此行隨員，各書記載不同。《三十三年之夢》記為「一行共有六人，即孫先生、鄭、陳、吞宇、硬石和我」。而據謝纘泰《中華民國革命秘史》，楊衢雲於是年4月26日由香港乘船赴日和孫中山協商起義事宜，6月17日與孫中山同船抵港。日本外務省檔案的有關檔亦有「楊飛鴻」即楊衢雲之名。陳姓者，史扶鄰《孫中山與中國革命的起源》定為陳少白，據稱引用1900年6月18日《士蔑西報》所載「煙狄斯號」抵港的旅客名單。日本外務省檔案亦曾記為陳白。[41]然而參照其它資料，均誤。據《中華民國革命秘史》及《三十三年之夢》，陳少白早已在香港。日本外務省檔案後來的報告已將陳姓者改正為陳清。[42]此人即1895年最早在橫濱與孫中山相識於船上，廣州起義計劃率領炸彈隊的旅日華僑商販。

　　孫中山6月8日從橫濱出發時，同行者只有楊衢雲、鄭士良、陳清、清藤幸七郎和宮崎寅藏共5人，6月11日舟過長崎，內田良平始登輪同行。日本外務省檔案6月11日長崎縣知事報告中曾提到，有佐度

41　明治33年6月29日神奈川縣報乙秘第336號。

42　明治33年6月10日兵庫縣報兵發秘第300號。

幸太郎者告訴內田良平，宮崎寅藏由神戶上船。[43]《孫中山年譜》即稱過神戶時宮崎寅藏始登輪同渡，而《國父年譜》記內田良平亦由橫濱同船出發，均誤。《孫逸仙先生傳》則稱6月8日孫中山與鄭士良、楊衢雲3人由橫濱乘輪啟程，到神戶後宮崎寅藏、清藤幸七郎、內田良平一起登輪。仔細核對該書所徵引的日本外務省檔案各件，並無上述內容。比較可靠的是6月10日兵庫縣知事大森鍾一致青木外相《兵發秘第300號》報告：「清國亡命者孫逸仙及楊飛鴻、鄭弼臣、陳清等與本邦人宮崎寅藏、清藤幸七郎於昨九日午前九時乘法國輪船『印度河號』由橫濱入港。」另參以6月29日長崎縣《乙秘第336號》報告：「宮崎在本月8日與同志清藤幸七郎和孫逸仙、楊飛鴻、鄭彬臣、陳白（按應為陳清）等出發赴香港。」6月11日長崎縣知事服部一三《高秘第163號》報告：「十日午後七時過，福岡縣人內田甲、末永節、島田經一同行抵達，投宿福島屋。據查末永、島田兩人係送內田渡清。內田乘今早六時由本港出發的法國郵船『印度河號』赴上海。」

　⑷法國印度支那總督韜美，是這一時期與孫中山有關係的重要外國人士。在孫中山本人以及陳少白、馮自由等人的著述中，多次提到他與韜美的交往。韜美自1897年2月到1902年3月任印支總督，在此期間，孫中山惟有1900年6月到過越南。1902年底孫中山去河內時，韜美已經離任。而馮自由所說孫中山1905年在巴黎與韜美接觸，至今尚未找到確證。因此，1900年6月的越南之行，是兩人會晤的唯一機會。

　　是年6月6日，孫中山在東京走訪了法國駐日本公使朱爾斯·哈馬德，會談後他請哈馬德寫信給印支總督韜美，希望在抵達西貢時能夠與之會面。據芒霍蘭《與法國人聯繫的失敗：1900至1908年的法國與

---

43 明治33年6月11日長崎縣報高秘第136號。

孫逸仙》一文，孫中山抵達西貢時，韜美已赴河內，指派一名助手作
代表，在總督府與孫中山會晤。由此看來，孫中山與韜美根本就沒有
見過面。但是據巴羅的《1900-1908年孫逸仙與法國人》，韜美1900年
10月27日函告法國殖民部：「孫逸仙經過西貢時，我正在東京（按指
河內），我在那兒接見了他，給了他一些含糊的同情之詞。」芒霍蘭
與巴羅使用同一批檔案資料，前者的文章發表於1972年，後者的著作
出版於1979年，而且巴羅重點參考了芒霍蘭的文章，引文又是原文照
譯，其表述似較為可靠，儘管還沒有找到孫中山赴河內的證據。類似
的差別，在兩人著述的關鍵之處，往往可以看到。如1902年孫中山到
河內，芒霍蘭說與之會晤的是繼任總督博的私人秘書，而《革命原
起》記為秘書長哈德安。根據巴羅的著作，哈德安的職務並非私人秘
書，而是前韜美行政當局的 Chef du Cabjnet，即法國印支總督府辦公
室主任。秘書長（General Secretary）則另有其人。

3 其它有關問題。

⑴1897年7月，孫中山在加拿大由溫哥華赴維多利亞途中，在南
尼亞木（今譯納奈莫）停留。此事《國父年譜》記為：「乘火車赴附
近的南尼亞木，四日後復往，據報告（按指倫敦司賴特偵探社的報
告）謂係在僑胞中從事組織工作。」《孫逸仙先生傳》沿用其說，《孫
中山年譜》雖未指明所用交通工具，也籠統地說：「旋又赴溫哥華、
南尼亞木、域多利等地，在華僑中進行革命活動」。

以上諸說至少有兩點錯誤，其一，孫中山從溫哥華到南尼亞木不
是乘火車，因為溫哥華在北美大陸，而南尼亞木和維多利亞則在與之
隔海相望的溫哥華島上。孫中山所乘 A line of Steamers 的交通工具，
應為輪船。其二，孫中山由溫哥華到南尼亞木、維多利亞，不過是歸
國途中必經之地，並非前往發動華僑。7月24日孫中山由維多利亞折

回南尼亞木，拜訪了一位華僑，當天下午即回到維多利亞。至於在華僑中從事革命工作之說，大概源於以下兩則報告：「偵探在（維多利亞）中國居民中秘密調查，證實該人倫敦被捕情形已為當地人熟知，而且知道其現在的目標是組織一切可得到的力量聯合反對中國政府。」「該人一到橫濱即擬再入中國重新組織叛亂，以推翻政府。」這裡只是講述維多利亞華僑對孫中山的瞭解認識，孫中山在此僅到過中國布道會和一位李姓華僑的中藥店，沒有從事組織發動的明顯跡象，也無法證實當地居民獲悉孫中山情況的消息來源。

　　(2)橫濱中西學校，是孫中山倡議設立，以培養華僑子弟的教育機構，後來成了康、梁一派的勢力範圍，改稱大同學校。《國父年譜》將該校開辦的時間定於1897年秋，實際上當時雖倡議籌備，尚未正式開辦。其開學日期，據《知新報》第47冊《橫濱大同學校近聞》和《清議報》第10冊《大同學校開校記》，為1898年2月下旬。該校以徐勤為總教習，陳蔭農、陳默庵、湯覺鈍為中文教習，周鑒湖為西文教習，井上太郎為東文教習，一開始就被維新派完全控制。只有校董方面，在中華會館還有革命派的成員。

　　(3)1899年7、8月間，孫中山在橫濱曾幾次與東遊日本的劉學詢接觸。劉學詢此次東渡，《孫中山年譜》說是清政府密遣來日，負有要求日本政府引渡康有為、梁啟超的使命。其實，劉學詢至少名義上是公開訪日。據其所著《遊歷日本考察商務日記》（1899年上海版），係奉旨與慶寬到日本考察商務，從7月14日抵達橫濱，到8月30日離開東京，歷時一個半月，先後與天皇、內閣各部大臣、軍部、在野黨要人以及實業界人士、華僑等廣泛接觸，實在不能說是「密遣」。只是在公開的名義下負有秘密談判「交康」的使命而已。

　　(4)《國父年譜》1900年8月17日條記：「是日先生與內田、宮崎、清藤等計劃加強募集東亞同文會員，並謀借船偷渡，預定渡航者有宮

川五三郎、島田經一、末永節等。」注明資料引自日本外務省檔案。查所據8月17日福岡縣知事深野一三致青木周藏外相報告《高秘第816號》，沒有上述內容，只是說為援助孫逸仙的密謀，東亞同文會員內田甲、宮崎寅藏、清藤幸七郎等募集同志，宮川五三郎、島田經一、末永節等計劃渡清。佐賀縣人中野熊太郎與福岡縣小倉町的市川鐵也經門司渡清，福岡玄洋社長租船運送同志赴清國大沽。顯然這兩樁平行事件沒有直接聯繫。

⑸1903年底，署湖廣總督端方為了消彌湖北學界的革命力量，將激進學生分別派往比利時、德國和日本。朱和中、史青、賀子才等人的記載以及馮自由的著述都說他們途經上海之際，遇到劉成禺，這批學生想乘機尋找孫中山，知道劉成禺受孫中山之聘將前往三藩市就任《大同日報》主筆，遂託其見孫時務予通知。[44]劉成禺告以「中山方由美赴英，兄等此行，可與之會晤，共商大計」[45]，還開具了孫中山在倫敦的地址，為他們作函介紹。此事言之鑿鑿，可惜一查時間，對不上號。據《東方雜誌》「遊學匯志」，賀子才等人於1904年1月28日抵達比利時，這時孫中山尚在檀香山，赴英之事無從談起，劉成禺也不可能事先知道其在英住址。而且孫中山聘請劉成禺為《大同日報》主筆，是1904年5月以後的事。前此劉成禺辦理赴美護照，可能是因為1903年在《湖北學生界》暢論「人種」問題，觸怒清政府，被禁止進入日本的士官學校，遂由留日學生總監督汪大燮出資，讓他去美國留學。會見的情形當如劉成禺所述，只是與他取得了聯繫，等他到美國任《大同日報》主筆後，遂互通消息。賀子才等打聽孫中山的行

---

44 朱和中遺稿：《歐洲同盟會紀實》、史青：《留比學生參加同盟會的經過》，中國人民政治協商會議全國委員會文史資料研究委員會編：《辛亥革命回憶錄》第6集，北京，文史資料出版社1981年版，第1-23頁。

45 馮自由：《中華民國開國前革命史》上編，第187頁。

蹤，才以劉為中介，與孫中山間接建立起聯繫。[46]

(6)張永福《南洋與創立民國》記，1904年底他與陳楚楠等以《圖南日報》不能廣銷，特製宣傳革命之月份牌，分贈華僑。後流入檀香山，引起孫中山的注意，不遠重洋，親寄美金20元來購買了20張，以作紀念，並來函殷殷獎勉，願與之相見。該書附有月份牌原件照片，時間內容均無誤。但孫中山於1904年春已離開檀香山，是年底又赴英國，似不可能在檀香山見到1905年的月份牌。

(7)1904年5月，孫中山在三藩市改組致公堂機關報《大同日報》。《革命逸史》稱該報創立於1902年，歐榘甲曾以「太平洋客」筆名於該報發表《論廣東宜速籌自立之法》的長文，即有名的《新廣東》，一些著作照引不誤。但是梁啟超1903年底到三藩市時稱該報為「新立者」，[47]而《〈大同日報〉緣起》於1903年10月才由《新民叢報》第38、39期合本轉載，則報亦應創立於1903年。歐榘甲文實際是連載於《文興日報》，[48]這是三藩市保皇會的機關刊物，當時由歐榘甲擔任主筆。

編輯中遇到諸如此類的問題數量頗多，不能一一列舉。有些問題雖然重要，另有專文考證，如1902年支那亡國紀念會在留日學界反響不大，1903年的春節排滿演說並非由孫中山策動，1905年孫中山與朱和中等人的分歧在於武裝起義依靠會黨還是新軍，而不是對知識分子的看法等，茲不贅述。

三 資料與問題

吸收和補充近年來發掘問世的新史料，以及重新整理利用一些未

---

46 劉成禺：《先總理舊德錄》，《國史館館刊》創刊號，1947年12月。
47 梁啟超著，何守真校點：《新大陸遊記》，湖南人民出版社1981年版，第144頁。
48 1903年5月《與夫子大人書》，丁文江、趙豐田編：《梁啟超年譜長編》，第287頁。

經充分消化的舊史料，是編好《長編》的重要基礎，主要有四類：

1 **檔案資料**。

1896年10月至1897年7月，倫敦司賴特偵探社受清政府駐英公使館的委託，對孫中山進行了長時間的跟蹤監視，留下大量報告。其中一部分由羅家倫、王寵惠分別譯成中文，其餘部分由壽昌翻譯。一般認為過於瑣碎，不大錄用，至多不過從中徵引一些有關其行蹤的記載或統計其前往大英博物館的次數。近年來，隨著新史料的發掘問世，回頭再來看這批存檔報告，覺得仍有一定的利用價值。鑒於長編的性質，同時考慮到壽昌的翻譯欠妥之處尚多，全部重新譯出。參照南方熊楠日記等資料，可以使這一段孫中山活動的輪廓更加清晰，從中獲得如下印象：其一，孫中山與其同志之間的通信聯繫十分密切。其二，通過南方熊楠、田島擔等人建立起和日本人士的副線關係。其三，孫中山很早就注意中國的西南邊界，有由此潛入內地發動起義的計劃。其四，孫中山自稱其三民主義在倫敦完成，康德黎、夏曼等人的著作提到孫中山在倫敦閱讀了大量西方近代社會政治學說的著作，臺灣的各種著述更盛讚孫中山在大英博物館刻苦求知的精神。不過，孫中山滯留倫敦期間獨自撰寫、翻譯以及與人合作的文字，僅發表出來有案可查的即達10萬字，他還有大量的社交活動，短短半年時間，有無可能廣泛閱讀？況且孫中山的中英文水平均未臻上乘，他翻譯《紅十字會救傷第一法》，為《倫敦被難記》提供素材，都需要前往大英博物館查閱資料。從其它材料看，孫中山三民主義思想形成的脈絡一直延續到1903年。在未獲得孫中山在大英博物館閱讀內容的可靠資料前，不應對他此時思想的完整程度過高估價。

從1897年8月17日開始，日本外務省文書中出現了有關孫中山活動的報告，在所涉及的範圍內，以1900年的勤王運動和惠州起義為中

心，上溯下延，數量可觀，是研究這一階段孫中山活動的重要依據。這些檔案以前雖有使用，一則不完全，二則歧誤之處不少，編輯時盡可能完整地錄用原檔。相信這批資料的選錄，有助於研究孫中山的思想、活動、與日本人的關係、惠州起義前後的變化發展，同時可以糾正前此引用的錯誤。孫中山與法國的關係，則參照芒霍蘭和巴羅利用法國檔案所作的研究成果，相互印證取捨。此外，近年來清政府的檔案時有披露，儘量吸收補充。

2 報刊資料。

1895至1905年間，國內和留日學界相繼舉辦了一批政治色彩很強的報刊，其中如維新派的《時務報》、《知新報》、《國聞報》、《湘報》、《清議報》、《新民叢報》，留日學界的《國民報》、《江蘇》，上海的《蘇報》、《國民日日報》、《警鐘日報》、《大陸報》、《中國白話報》、《二十世紀大舞臺》，以及興中會的《中國日報》、《中國旬報》、《廣東日報》等，都曾零星刊載過孫中山的文章、信函、活動報導和其它有關文字，在考證可信的前提下，儘量加以利用。如《時務報》1896至1897年轉載英國和日本報刊關於孫中山倫敦蒙難的報導，最早向國內披露這一消息。1898年9月25日《國聞報》刊登的《中山樵傳》，是目前所見國內最早公開發表的中文孫中山傳記，儘管該報編輯聲稱係得自日本人，文中又多有誣衊不實之詞，仍予錄用。當時日本人士盛傳此文出自徐勤之手，對徐極為不滿，為此徐勤特致函宮崎寅藏加以辯解。[49]所以又可以從中窺見康、梁一派對孫中山的態度，以及兩派之間的關係。

《廣東日報》、《警鐘日報》轉載關於1903至1904年孫中山在檀香

49 馮自由：《中華民國開國前革命史》上編，第42-43頁。

山、美洲大陸掃蕩保皇派的報導，《警鐘日報》所刊1904年5月孫中山
離開三藩市前致公堂向各埠所發特啟和對待康、梁的傳單等資料，說
明孫中山美洲之行在掃蕩保皇派方面成效還是比較顯著的，其失利之
處在於原計劃以洪門總註冊方式籌款，未能如願。究其原因，一則洪
門會眾多不富有，二則梁啟超剛剛遊過新大陸，收走了大筆金錢，短
期內華僑很難再度慷慨解囊。先此，孫中山在檀香山的各項活動十分
順利，募捐一事同樣因為梁啟超捷足先登，只得到2千餘元。[50]因此不
能籠統地將此次美洲之行的成效一筆抹殺。孫中山籌款的動機和目
的，無疑是高尚的，從不為自己謀取私利，但手段有時易於引起反
感。即使在留學界萬眾歸心，同盟會一鼓而成的大好形勢下，1905年
8月27日孫中山欲借開演說會發售高價入場券以籌集資金，仍然引起
許多留學生的不滿和反對。

其它如《江蘇》所刊黃宗仰與孫中山交往的兩首詩，《國民日日
報》所披露的秦力山關於和孫中山討論公地筆記的內容，《大陸報》
關於革命程序論思想的記載和有關孫、康關係的文字，《中國旬報》
所發孫中山繪製支那全圖印行的告白，以及各報刊對孫中山言行的評
論文字等等，可以從中找到孫中山思想發展及其逐漸為國人認識的軌
跡，豐富對孫中山思想形成過程的瞭解，增強其行為的動感，有助於
更好地把握孫中山及其時代的聯繫。

這一時期孫中山主要活動於海外，所到各國的報刊也往往報導一
些消息。如1895年11月10日《神戶又新日報》對廣州起義的報導，顯
示了日本對這一事件的反應，可以糾正中文記載的謬誤。1896年10月
23日倫敦《地球報》首先披露孫中山被綁架事件所發的特刊及其它各

---

50 蘇德用：《國父革命運動在檀島》，《國父九十誕辰紀念文集》，臺北，中華文化出版
　事業社1955年版。

報的採訪報導，表明了英國輿論界的態度，同時反映出當時孫中山思想的某些特質。例如10月24日《每日新聞》記者採訪時問：「你是白蓮教的成員嗎？」孫中山答稱：「不是，那是一個完全不同的團體。我們的運動是新的，限於受過教育的中國人，他們大部分住在國外。」明確將革命運動與舊式教門的反清活動區別開來。

3 信函、日記。

這兩種類型的史料，準確度相對較高。1895年3月至4月日本駐香港領事中川恒次郎致首相原敬函，明確了廣州起義時孫中山的政治態度，彌補了他與日本關係的一段闕失。宮崎寅藏1898年、1899年致平岡浩太郎和犬養毅等人的信件，以及梁啟超、章太炎等人在此期間的一些信函，記錄了革命黨與康、梁一派的關係以及相互磨擦的情況。1899、1900年彭西致孫中山的幾封函電，使孫中山為菲律賓獨立軍購械運械以及將軍火轉作惠州起義之用的過程更加具體化，同時有助於瞭解兩位革命家的關係。1899年5月陳少白致犬養毅函，則使籌辦《中國報》、組織香港興中會機關聯絡會黨的時間由秋季提前到初夏。1900年林圭致容星橋函，揭示了孫中山、興中會與自立軍的密切聯繫，進而可以解決一系列長期有爭議的難題。

日記方面，引用了1896至1897年南方熊楠的日記，以彌補司賴特偵探社關於孫中山在倫敦行蹤報告的遺漏。1899年劉學詢的《遊歷日本考查商務日記》，儘管作者有意將與孫中山會晤的情節隱去，仍然可以從側面印證史實。而1905年吳稚暉的留英日記，則提供了判定孫中山在歐洲活動日程的重要依據。

此外，一些實物、照片、詩詞等，也可以成為判斷事實的佐證，如興漢會成立後哥老會首領為宮崎寅藏的題詩，不僅是論證興漢會屬性等問題的重要依據，還是研究湖南會黨的重要史料。孫中山在大英

博物館的借閱卡，則提供了其所讀書籍類型的信息。

4 早期書籍。

　　一般說來，距離事件年代較近而作者又親歷其事的著述，受外界因素干擾小，可靠性較大。如田野桔次的《最近支那革命運動》（上海新智社1903年版）、秦力山的《庚子漢變始末記》（作於1902年，未見原書，僅《黃帝魂》保留畢永年、林圭兩篇傳記），均提供了不少有價值的史料。宮崎寅藏的《三十三年之夢》，更是這一時期反映孫中山活動的重要著作，可惜長期以來只有章士釗的意譯本《孫逸仙》和其它幾種節譯本，不能準確完整地反映作者的原意，容易引起誤解。1981年出版的香港林啟彥改譯注釋的全本，彌補了這方面的缺憾，可據以糾正以往的偏差或錯誤。編輯中充分利用這一新譯本，獲益匪淺。謝纘泰的《中華民國革命秘史》也屬於這一類。此外，從《光緒朝東華錄》、《清實錄》和李鴻章等人的文集中也輯錄到一些零星資料，可以反映清政府對孫中山及其革命黨的態度與應對。黃三德的《洪門革命史》，則比較具體地記載了1904年孫中山美洲之行的路線和日程。

　　由於缺乏原始資料，而回憶錄又相當混亂，一些比較重要的問題雖經艱苦努力，仍未獲得圓滿解決。如1905年孫中山在歐洲的活動，各種記載彼此矛盾，很難排定確切程序。編輯的辦法是，首先以切實可靠的記載為綱，可知孫中山於1904年12月14日從紐約出發赴倫敦（見黃三德：《洪門革命史》），1905年1月19日至21日在倫敦與吳稚暉會晤（吳稚暉：《留英日記》），2月8日至11日在法國與外交部官員會晤（法國檔案），3月13日在大英博物館借閱書籍（原件照片），3月30日在倫敦與吳稚暉參觀議院，4月23日在倫敦接待吳稚暉等來訪，5月中旬在布魯塞爾訪第二國際執行局（1905年5月18日比利時社會黨機

關報《人民報》報導），6月4日在巴黎致函宮崎寅藏。然後再參照有關人員的回憶及其它資料所提供的情節，酌定1月上旬赴布魯塞爾建立革命組織，旋返倫敦。1月下旬赴柏林、巴黎，建立革命組織，與法國官員接觸，接著發生盟書被盜事件。3月返回倫敦，即欲東歸。5月再赴歐洲大陸，至布魯塞爾，隨即往巴黎。所以6月4日復宮崎寅藏函稱：「日前寄英國之書，久已收讀，欣聞各節。所以遲遲不答，蓋因早欲東歸，諸事擬作面談也。不期旅資告乏，阻滯窮途，欲行不得，遂致久留至於今也。」[51]但如此一來，對舊說春夏赴歐洲大陸組建革命團體變動較大，且與一些記載不能吻合。若將時間推後，又與法國檔案及復宮崎寅藏函不符。類似於這種情況，編者只能盡力對材料進行梳理，取其相對合理的解釋，作出編排，同時持一定的保留態度。

還有一些懸而未決的疑案，因材料不足，仍無法破解。如1903年12月17日孫中山復友人函，涉及平均地權、提出新誓詞和中華革命軍的時間地點、以及與保皇派的鬥爭等一系列重大問題，至今無法證實收信人屬，這對於瞭解孫中山的思想、活動和聯繫，是一個嚴重障礙。或以為收信人為黃宗仰，可是孫中山致黃宗仰的兩封信，均稱其為「中央上人」，而此函稱「□□先生足下」，另外信中所述與保皇會鬥爭「四島已肅清二島」一事，同月的致黃宗仰函已經言及，不應重複。從現有資料看，此函寫給上海革命黨人的可能性較大。由此引出的問題是，1903年後孫中山是否曾以「中華革命黨」或「中華革命軍」來代替興中會？《孫逸仙先生傳》有此看法，大陸也有學者提出相同見解。可是一則找不到孫中山在日本建立過中華革命黨（軍）組織的明確記載，再則孫中山使用「中華革命黨」或「中華革命軍」的名稱不一定指具體的組織，同盟會成立後，1906年印行的債券上，還

---

51 《孫中山全集》第1卷，第274頁。

同時出現同盟會、中華革命黨、中華革命軍三者並用的情況（原件照片）。為慎重起見，長編同意孫中山已經提出中華革命黨（軍）的稱謂，並在檀香山正式使用，但不一定是用新的組織來取代興中會。

一些問題存在互相矛盾的兩說，很難斷然肯定或否定其中一說。如唐才常與孫中山會晤，以馮自由的敘述判斷，應在1898年10月至11月，因為當時唐才常在東京見到了康有為、梁啟超，而1899年康有為已經離開日本。同時孫中山在會見唐才常之後才派畢永年與平山周到中國調查湖南會黨，畢永年與平山周於1898年11月啟程，行前與唐才常有過聯繫。另外，王照說他曾於居室夜聞梁啟超與唐、畢二人謀造譚嗣同血書，[52]這只能是1898年的事，因為次年王照與康、梁鬧翻，已遷出另居。唐才質編《唐才常烈士年譜》將此事繫於1899年秋，馮自由的一些記載又與1899年保皇會倡興勤王相聯繫，令人難以決斷。諸如此類的情況，只好酌情以一說入正文，另一說入注。[53]

有不少關於同一事件的不同記載，其實是從一種資料輾轉傳抄，結果往往出現狐狸打獵人式的謬誤。編輯時盡力追溯源頭，剔除層累迭加的成份，避免以訛傳訛。如1903年底孫中山在檀香山創立中華革命軍，其總部地址據陸文燦《孫公中山在檀事略》，為「檀山正埠溫逸街三樓，即今日之四大都會館舊址」。蘇德用《國父革命運動在檀島》一文，實際依據此說，而省略為「乃創立中國革命軍於檀島溫逸街四大都會館三樓」。《孫中山年譜》沿用這一說法。其實，刊載陸文燦文的《檀山華僑》一書明確稱四大都會館創立於1906年，孫中山組

52 《乙巳四月復江翊雲兼謝丁文江書》，王照：《小航文存》卷三，沈雲龍主編：《近代中國史料叢刊》第27輯之265，臺北，文海出版社1968年版。

53 後來的研究證明，依據《宗方小太郎文書》，唐才常到日本確實在1898年10至11月間。參見楊天石：《唐才常佚劄與維新黨人的湖南起義計劃》，《歷史檔案》1988年第3期。

織中華革命軍時，此處還不能稱為四大都會館。

　　有些回憶錄明顯帶有後來的主觀成份，儘管十分生動，也應予以摒棄。可以證實者，一般用正文表述，確有必要者則注出。不過，更多的問題，困難不在於判斷真偽虛實，而在於衡量其可信的程度和部分。在未得到直接證據前，保留回憶的原貌。這不等於說編者沒有意識到其中的疑點，一為慎重起見，再則注不勝注。總之，原始記載如同樹幹，回憶文字好比枝葉，樹幹畢竟起著主導作用，多數問題之所以懸而未決，主要原因在於缺乏直接資料，在回憶錄的迷津中循環往復，難以解脫。而一些疑難問題的破譯，往往得益於新資料的問世。所以，加強第一手資料的發掘收集整理，仍是今後孫中山研究中極為重要的一環。由於孫中山長期活動於海外，而後來收集這方面的資料又頗具難度，因此目前的主要薄弱環節是關於孫中山海外活動的情況。近年來重要新史料的發現，往往也在海外。

　　直接的原始資料雖然相對可靠，也不能一概而論，還要顧及前後左右的人與事。孫中山的活動與周圍的人有著密切關係，大力加強對與孫中山有關人物的研究，可以取得深化對孫中山本人認識的奇效。《長編》相當一部分問題的解決，即是吸收相關人物研究的成果。特別是那些與孫中山長期保持聯繫的人物，如本節涉及的梁啟超、陳少白、宮崎寅藏、平山周等，如能對他們的思想活動有深入瞭解，與孫中山的關係更加清晰，孫中山研究自然會取得長足進步。

　　編輯《長編》既要注意細節，又不能拘泥於微觀。《長編》可以為孫中山研究的進一步發展提供階梯，從中透視未來的趨向和格局。首先必須打破為賢者諱的觀念，全面、客觀、公正地再現孫中山的思想言行，最大限度地達到歷史與認識的統一，避免用研究者的主觀來組裝甚至替代歷史人物的思想。擔心影響孫中山的聲譽而掩飾其缺點、過失以及個人品質的瑕疵，最終只會因失真而損害孫中山的形

象，避諱其實就是變相的溢美，結果必然導致虛假。有的海外學者正是看到海峽兩岸的中國學人在一些問題上躲躲閃閃的隱晦態度，才認為真正有學術水準的孫中山傳記難以產生於大陸和臺灣，而將出自外國史家之手。如果不希望這種擔心變成現實，就應該積極努力。其次，應當多角度、多色調地展現孫中山的生平，包括生活、性格以至內心世界。隨著跨學科研究的日新月異，各種新方法逐漸引入史學領域，人們的視野日益擴大，許多以往只是茶餘飯後談資的素材，可能成為新的研究對象。考慮到上述趨勢，不能用固定的眼光取捨和編排史料。當然，有些記載雖然情節生動，難以確定時間，無法納入《長編》體系，並非編者有意避諱。

孫中山與同盟會的成立

　　近來有先生就孫中山與同盟會成立的淵源關係發表新論（以下簡稱「新論」），拜讀之後，感到幾分困惑，特就其中一些疑點，提出拙見，以就教於時賢。

一　捨棄興中會？

　　文章以「新」立論，當然是針對過去的看法提出不同見解。「新論」一開頭就指出，史學界長期以來流傳著一種說法，即認為中國同盟會是由興中會、華興會和光復會等幾個革命團體聯合而成的，從1931年邢鵬舉的《中國近百年史》，到解放後的文章著述，幾乎成了定論。在概述了前人的研究之後，作者進而提出「同盟會究竟是怎樣成立起來的」問題，並由孫中山1900年後組織革命團體的具體行動及其指導思想入手，展開了三個層次的分析。其主要論點是：「同盟會絕不是興中會、華興會和光復會三個團體聯合而成，也不是幾個革命團體組成的聯盟，而是孫中山繼興中會之後，『集全國之英俊』而成立的一個革命團體。」

　　該文的基本論點和關鍵論據，我於1981年已經做過研究並得出相同、至少是相近的結論。拙文以為：

　　　　「關於同盟會的成立，有一種通行的說法，即同盟會是興中
　　　　會、華興會、光復會三個革命團體的聯合，這種說法值得商

權。出席同盟會籌備會議的72人中，原屬華興會的為黃興、宋教仁、張繼、陳天華、劉道一、柳揚谷等6人，屬興中會的為孫中山、馮自由、黎勇錫、胡毅生、朱少穆等5人，光復會僅蔣尊簋1人，總共不過12人。就組織而言，光復會本部沒有參與其事；華興會討論結果，決定聽憑個人自由，不加組織約束。這時華興會內部已發生分裂，一部分人倒向保皇派，有些人雖然堅持革命立場，但由於其它原因而不願加入同盟會，如章士釗、劉揆一。所以，這次討論實際上等於宣佈華興會最後解散。的確，同盟會成立初期，兩湖的留學生佔了舉足輕重的地位，但華興會不能代表兩湖學生，入會的湖南學生也多數不是華興會員。孫中山曾設想過各個團體的聯合，但在實行過程中，這一願望未能實現，以組織名義轉入同盟會的只有興中會一家。所以，就事情的本來面目而言，同盟會的建立，是孫中山與留日學界中來自國內各地的革命分子相結合的結果。……在孫中山的旗幟下，同盟會聚集了全國各地革命知識分子的精粹，這實際上是當時中國資產階級革命派的大聯合。」[1]

這與「新論」所提供的論點論據基本是一致的。

史學研究或許沒有發明專利，同一主題，可以多角度描寫，同一論點也可以反覆深化，但必須建立在對史料更為全面詳盡的佔有和認真審慎的鑒別之上。令人遺憾的是，「新論」忽略了這一點的重要性

1　見拙文《同盟會成立前的孫中山與留日學生》，提交1981年12月5日至9日長沙「紀念辛亥革命七十週年青年研究工作者學術討論會」，後經壓縮，改題《孫中山與留日學生及同盟會的成立》，發表於《中山大學學報》（哲學社會科學版）1982年第4期。1981年，金沖及、胡繩武在《中華學術論文集》（中華書局）發表《同盟會與光復會關係考實》，也對團體聯合說提出質疑，認為是以訛傳訛，與史實不符。

和必要性。為了力求寫出新意，作者做了許多鋪墊，其中之一是關於孫中山對興中會的態度，說：1900年以後，孫中山「不再成立興中會分會，也不再為興中會發展會員，……而從1903年起，他就修改了興中會的入會誓詞，拋開興中會，準備組織新的革命團體。」已故香港中文大學王德昭教授、臺灣學者吳相湘教授在他們的著述中都曾提出過近似的看法，國內有學者還寫過專文，具體加以探討。

這一問題牽涉相當廣泛，目前可見的材料尚不足以成說。也許正是看到這種不足，一般學者大都只是提出推測性意見，很少斷然肯定。與此相反的事實是，1902年孫中山到越南，在河內發動華僑黃隆生等人建立組織，馮自由的有關著述均稱之為興中會分會，又說發展這些人為興中會員，是1903年秋孫中山親口告訴他的。[2]再如1904年孫中山在美洲向華僑勸購軍需債券時，也提出「凡購券者即為興中會員」，鄺華汰等人即正式宣誓入會。[3]而且1903年孫中山離開日本之前，將興中會會務托與馮自由，後來馮和梁慕光、胡毅生等在橫濱發起洪門三點會，以為聯絡秘密會黨之樞紐。以後儘管由於各種原因，「橫濱始終未設分會，僅由同志黎炳垣、林清泉、梁慕光數人設一聯絡處而已」[4]，也沒有取消興中會名號，孫中山一直與之保持聯繫，試圖發揮作用。興中會香港分會雖然困難重重，幾乎陷入絕境，還是苦撐下來。1903至1904年孫中山在美洲掃蕩保皇派之際，興中會的機關報《中國日報》就是由香港分會具體負責。

至於「新論」作者以興中會在廣州的機關已不復存在作為例證之一，則顯然是誤解或故意。因為1895年以後，興中會在廣東一帶的活

---

2 馮自由：《革命逸史》第3集，第31頁。

3 馮自由：《革命逸史》第4集，第22頁。

4 馮自由：《華僑革命開國史》，中國社會科學院近代研究所近代史資料編輯組編：《華僑與辛亥革命》，北京，中國社會科學出版社1981年版，第37頁。

動，主要由香港分會兼管，先後由鄭士良、王質甫、陳少白負責。同
盟會成立後，香港、河內、檀香山等地的興中會分會陸續改組為同盟
會的分支機搆，在各個革命小團體中，興中會的組織改組是僅有的例
外。誠然，關於這一時期興中會活動的史料，馮自由等人的記載有很
大的彈性，自相矛盾之處不少，研究者的任務之一就是正本清源，還
歷史的本來面目，而不能採取快刀斬亂麻的態度，在尚無足夠證據徹
底推翻舊說之前，不應輕易地下結論。

　　有學者認為，1903年孫中山在日本成立了中華革命黨，此後在檀
香山、美洲和歐洲成立的革命組織，都應叫做「中華革命黨」或「中
華革命軍」，並視之為興中會以後、同盟會之前孫中山建黨活動的新
階段。這種意見有孫中山1903年12月從檀香山致某友人函、所發軍需
債券和陸文燦的回憶為據，不過仔細斟酌，仍有難以自圓其說之處。

　　其一，孫中山1903年到日本時，形勢已趨惡化，而且為期只有兩
個月，似不可能建立一個新的黨。史扶鄰教授的《孫中山與中國革命
的起源》一書，根據孫中山《支那保全分割合論》中「吾黨不尚空
談」一句，推測他可能成立新黨，根據不足。[5]為了前往檀香山，孫
中山甚至不得不向黃宗仰借款二百元，而且久久不能歸還，可見其拮
据的窘狀。直到1903年11月孫中山覆函平山周時還提到：「弟到東京
時，遍覓舊同志，無一見者，心殊悵悵，故有一走九州之意，又以資
不足，不果。」[6]情緒相當低沉，沒有通常順利時的那種神采飛揚。
況且這樣一件大事，不可能沒有留下半點形跡，連馮自由等當事人也
隻字未提。作者僅據胡毅生自我表白的「於同盟會成立前手創之秘密

5　狹間直樹教授近年發現，《支那保全分割合論》並非首刊於1903年9月21日《江蘇》
　　第6期，而是最早刊登在1901年12月20日出版的日本《東邦協會會報》第82號上。
　　則「吾黨」更有可能指興中會，或指專為此事成立的國民同盟會。
6　《孫中山全集》第1卷，第224頁。

組織」一句話，就斷定青山軍事訓練班是「孫中山繼興中會之後所成立的新的革命團體」，令人難以苟同。因為這個訓練班根本不具備任何革命團體的組織形式，作者也沒有對此進行必要的論證。

其二，據陸文燦《孫公中山在檀事略》，1903年孫中山在檀香山成立了中華革命軍，孫中山復友人某函則提到：「弟今在檀香山，已將向時『黨』字改為『軍』字。今後同志當自稱為軍，所以記□□（按即鄒容）之功也。」[7]而孫中山所發軍需債券又注明「本軍成功之日」[8]云云。馮自由也說：「會名不用興中會原名，而用『中華革命軍』五字，……總理此時已蓄意擴大興中會之宗旨及組織，而改訂團體名稱矣。」[9]是否可以理解為孫中山已經放棄興中會而另行建立一個中華革命軍的組織，或是用中華革命軍（黨）來取代興中會？我曾一度傾向於贊同這種意見，經陳錫祺先生反覆質疑，又示以確證，終於動搖。

孫中山將「黨」改稱「軍」，是在到檀香山之後，見帶去的鄒容《革命軍》一書「感動甚捷，其功效真不可勝量」，因而藉以號召群眾。在相當長的一段時期內，他使用中華革命黨或中華革命軍的名稱，用意都在於此，而不是正式的組織名稱。直到1906年1月印行的債券上，同盟會、中華革命黨、中華革命軍三種名稱同時並用，印在同一張券面。[10]既然同盟會成立後孫中山仍然如此，就不能斷言在此之前他不可能同時使用興中會和中華革命黨（軍）兩種稱謂，更不能輕易地說提出中華革命軍就意味著拋開或以此取代興中會。如果馮自由

---

7 《孫中山全集》第1卷，第228頁。是函不會是寫給黃宗仰的，因為其內容在同時致黃宗仰函中已經陳述。

8 《孫中山全集》第1卷，第238頁。

9 馮自由：《革命逸史》第4集，第21頁。

10 中山大學孫中山紀念館藏原件照片。

所記不誤,那麼孫中山在美洲就是試圖以發行中華革命軍軍需債券來發展興中會的。至於「黨」字,陳錫祺先生認為同樣可以指興中會,不無道理,如馮自由曾說1903年孫中山「瀕行以黨務委之於餘」[11],而其它地方仍稱為「會務」。細心研讀馮自由諸書,不難發現這種黨、會混稱的現象相當普遍,由此涉及的史實也是十分混亂的。

其三,關於歐洲革命團體的名稱,眾說紛紜,比較模糊。據說因為相執不下,有人曾向元老吳稚暉詢問,他答稱還是叫興中會。吳稚暉當時留學英國,孫中山旅英期間,與之頻頻往還,孫中山前往比利時、德國、法國後,還與之保持通信聯繫,他對情況至少有所耳聞,況且留英學生加入革命團體的孫鴻哲與吳稚暉過從甚密,[12]馮自由甚至把吳也列進入會名單中,[13]要否定這位當事人的話,應當提出一定的論據並做說明。

當然,不是說孫中山始終沒有組建與興中會並非一脈相承的革命大團體的想法,也毫無把同盟會說成是興中會直接延續的意思。有學者指這種直接延續的觀點為「正統論」的支柱之一,批評國民黨黨化史學的不正常狀況。可是歷史畢竟不能僅憑感覺或感情來加以認識。孫中山固然不能與興中會劃等號,而依據現有資料,還得不出孫中山放棄興中會,另立革命大團體的結論。謝纘泰稱孫中山於1895年廣州起義失敗流亡日本時,乘擔任興中會會長的楊衢雲遠走南非,和自己的追隨者忙於成立同盟會,又說1900年初孫中山在迫使楊衢雲讓出興中會會長的位置後,組織在日本的革命黨人成立新的革命黨「同盟

11 馮自由:《革命逸史》初集,第134頁。

12 吳稚暉:《留英日記》,轉引自蔣永敬:《從吳稚暉的留英日記來補正國父幾次旅英日程的缺誤》,《傳記文學》第26卷第3期,1975年3月。

13 馮自由:《革命逸史》第2集,第122頁。

會」，楊衢雲已經加入該組織，而他自己則予以拒絕。[14]前者謝纘泰自稱所知很少，要孫中山及其追隨者來彌補空白。親歷其事的馮自由、陳少白乃至孫中山本人，均未提及「同盟會」之名，這一時期在日本成立的組織還是叫興中會。而後一所謂「新的革命黨」，其實就是「國民同盟會」，該會的組織者應為東亞同文會，目的是反對「支那共同管理」的「分割論」，主張「保全論」。[15]所以1900年9月容星橋稱：「前此在東京組織國民同盟會，實在非常符合保存東洋之意。」[16]孫中山與該會關係密切，曾親撰《支那保全分割合論》鼓吹回應，但絕非用它來取代興中會。「新論」將1903至1905年孫中山在日本、檀香山、美洲大陸的活動，統統說成是拋開興中會，準備組織新的革命團體的具體步驟，恐怕有些片面和牽強。

　　既然不能證明「新論」，如何理解孫中山的上述活動？拙見仍如以前，「孫中山的當務之急是反擊保皇黨，恢復和鞏固在華僑中的組織，為全國性革命政黨的建立打開局面。沒有興中會對保皇派的勝利，留學生也難以看到革命黨的力量。」田野桔次寫於拒俄運動之後的《最近支那革命運動》，關於中國革命的現在與將來有一段值得注意的分析，即從這一角度提出孫中山與留學生的關係：

　　　「今日新黨界中，稍有革命家之體面者，僅孫文一人。然彼嘗有二十餘萬之興中國會同志，今皆四散。彼倘能毅然自奮，雖百千萬人亦可得也。嗚呼！孫文宜自重。雖然，予尚別有一大希望，希望惟何？即現下留學於外國之支那學生也。夫學生既

---

14 謝纘泰著：《中華民國革命秘史》，《廣東文史資料·孫中山與辛亥革命專輯》，第306頁。

15 參見東亞文化研究所編：《東亞同文會史》，東京，霞山會1989年版，第56-60頁。

16 明治33年9月18日長崎縣報告高秘第361號。

抱才能，必有懷革命的思想之大人物，憂祖國之滅亡，欲起而
振作者。嗚呼！吾將引領以望也。蓋今日支那倘無偉大之革命
家出現，則分割之禍必近在目前。予不禁向天而呼曰：起哉起
哉，支那之革命家。」[17]

翻譯此書者均為與孫中山有關係的歸國留日學生，藉以表達的也
正是他們自己的心聲。

李自重回憶道：1902年孫中山在日本時，正是看到組建新的革命
團體的迫切性，才認為「興中會實有整頓加強之必要」[18]。馮自由也
說孫中山「蓄意擴大興中會之宗旨及組織」。所以，這些行動不但不
是拋開興中會，而且恰恰是為了整頓、鞏固和發展興中會的組織，擴
大革命派的影響，這同樣是為成立革命大團體做準備。歷史人物的活
動帶有很大的偶然性，為了達到同一目的，他可能或可以這樣做，也
可能或可以那樣做。史學研究要揭示與證明歷史人物實際上究竟做了
什麼，當史料不足以成說之際，不能不考慮各種可能性及其合理性。
從某種意義看，恢復興中會的影響，也就是重振革命派的聲威。政治
家從來注重實力，一個孤家寡人的領袖，哪怕自吹自擂得天花亂墜，
也不會有人相信附從。如果孫中山連自己的小團體也駕馭不了，1905
年到東京後就不可能那樣迅速廣泛地在留學生中施展影響，取得重大
成效，而陳天華、黃興等人也不會考慮與他實行團體聯合。

---

17 田野桔次：《最近支那革命運動》，第116頁。

18 李自重：《從興中會至辛亥革命的憶述》，中國人民政治協商會議廣東省委員會文史
　資料研究委員會編：《廣東辛亥革命史料》，廣州，廣東新華書店1962年版，第214-
　215頁。

二 全國領袖

　　「新論」的另一個重要論點，即「孫中山並不是以興中會負責人的身份聯絡，而是公開以全國革命領袖的身份進行活動，……孫無論走到哪裏，對當地的其它革命團體很少問津，他所著重的是搜羅革命人才。他組織成立東京青山軍事學校和中華革命軍是這樣，組織成立歐洲革命團體也是如此。而在東京籌組同盟會時，他這種指導思想表現的更加明顯。」「無論是黃興、宋教仁還是鄧家彥，孫中山都沒有把他們當成一個革命團體的領導人看待，僅僅把他們看成是傑出的人物和革命人才。」這一結論過於武斷，因而不免失之偏頗。

　　「新論」以孫中山20年後所講的關於先知先覺、後知後覺、不知不覺的一段話作為他自認為全國革命領導人的依據，缺乏邏輯和歷史的聯繫。在孫中山看來，興中會負責人與全國革命領袖這兩種身份並不矛盾。請看1895年制定的《香港興中會章程》：「本會名曰興中會，總會設在中國，分會散設各地」，「四方有志之士，皆可依照章程，隨處自行立會」。興中會者，興中國會之謂也，興中會的首領不是同樣可以做全國革命的領袖嗎？豈止興中會而已，其它如華興會、光復會，以及帶有革命色彩的中國教育會和軍國民教育會的組織者們，無一不以全國政治領導者自居。革命領袖不是真命天子，群雄並起更符合客觀規律。他們以國家興亡為己任的主人翁責任感，早已覺醒的近代民族意識，甚至知識分子的自負心理，都使之把個人的命運與整個國家民族的興衰存亡緊緊地連接在一起。況且，在當時，孫中山的名字是與興中會相聯繫，而興中會與革命黨又是不可分割的。人們不會因為孫中山是興中會的負責人而否認其全國革命領袖的地位，同樣，把孫中山看成是區域性革命領袖的人，並非僅僅因為他是興中會的首領。

中國革命的積極支持者，孫中山的日本同志宮崎寅藏在他那本著名的《三十三年之夢》中，赫然以《興中會領袖孫逸仙》為標題，介紹這位中國革命的先行者和領導人的生平活動及其政治宗旨。而章士釗以此為底本，譯著參半出來的更為流行的《孫逸仙》，同樣標明孫中山為興中會領袖，仍然稱之為中國革命的「初祖」、「北辰」，得到章太炎、秦力山等人的齊聲附和。另一位日本人士田野桔次所著《最近支那革命運動》（上海新智社1903年版），也以《興中會長孫逸仙》為題，開列專章，說：「自明治三十年（即光緒二十三年）之頃，漸至動世人之耳目者，即革命黨興中國會在支那大陸所潛伏者是也。世人多言該黨中有非常之英雄孫逸仙者，……實文明流革命家之集合體，而為支那有志之士所當敬耳。」這些看法，可以反映愛國和革命志士的一般態度。總之，興中會負責人與全國革命領袖是兩個不相對立的概念，不應當人為地把它們組合成一對矛盾，又要求孫中山做非此即彼的選擇。

或謂興中會的革命宗旨不夠明確，此疑問可由近來發現的1895年3月4日、4月17日日本駐香港領事中川恒次郎致原敬的兩封信所澄清。早在乙未廣州起義前，孫中山已經有了明確的共和革命主張，準備起義後實現兩廣獨立，建立共和國，選舉總統。[19] 馮自由、陳少白說孫中山起義失敗逃到日本，見神戶報紙報導以《支那革命黨首領孫逸仙抵日》為題或其內容有「中國革命黨孫逸仙」字樣，才恍然大悟自己的造反行動是革命，顯非屬實。那一天《神戶又新日報》報導的標題為《廣東暴徒巨魁之履歷及計劃》，文中也未出現「革命」字樣，只是將廣州起義做了極不準確的介紹。另據謝纘泰記，廣州起義

---

19 《原敬關係文書》第2卷書翰篇二，第393-396頁。

前夕,「孫念念不忘『革命』」[20]。謝氏有日記為憑,當更加可信。

如果孫中山庚子以後確實試圖新建革命團體,從興中會的狀況看,其動因一方面是因為其組織活動事實上陷於停滯狀態,另一方面則因為興中會內部的某些不團結因素和缺陷,使之難以號召聲勢日盛的激進知識分子。孫中山提出中華革命軍不等於拋開興中會,同樣,孫中山試圖恢復整頓興中會也不等於排斥成立新的革命團體,其實這正是他為組成新的革命大團體所實行的一個具體步驟。況且他掃蕩保皇派、整頓興中會的努力雖然取得了一定的成效,洪門註冊籌餉卻遠遠沒有達到預期目的,這種情況只會加強他成立新的革命大團體的決心。

「新論」關於「孫中山無論走到哪裏,對當地的其它革命團體很少問津」的斷言,同樣不夠客觀,缺少具體分析。1903年孫中山到日本時,軍國民教育會剛好因為秦毓鎏等人要求把該會的宗旨由愛國拒俄改為革命,遭到王璟芳等人的反對,引起衝突,大批會員退會,組織瓦解。這時青年會已無形解散,暗殺團又尚未成立,[21]孫中山無從聯絡根本不存在的革命團體。而且當時許多具有革命思想的留學生已相繼歸國,孫中山「鑒於己亥秋與梁啟超聯合組黨計劃之功敗垂成」,擔心重蹈覆轍,組黨活動因而「遲遲未敢著手」。[22]在美洲和歐洲的活動,同樣因為當地沒有革命團體,只能進行一般性的民眾動員或是利用洪門致公堂。而檀香山唯一的革命組織就是興中會自身。「新論」既然不能提供在這些地方存在其它革命團體的例證,又以此否認孫中山對其它革命團體的注重,孰因孰果,實在無從判斷。由於

---

20 謝纘泰著:《中華民國革命秘史》,《廣東文史資料·孫中山與辛亥革命專輯》,第287頁。

21 參見拙文《軍國民教育會若干問題的探討》,《孫中山研究論叢》第2集,1984年。

22 馮自由:《革命逸史》第4集,第18頁。

孫中山對於上述各地的情況事先均已有所瞭解，所以他每到一地，對根本不存在的其它革命團體不是很少問津，而是無津可問！

1905年孫中山到東京後，「新論」稱其上述指導思想更加明顯，還引述宮崎寅藏的回憶和宋教仁7月28的日記作為證據。然而，「新論」另一處徵引的宋教仁7月29日的日記明確記到：「先是，孫逸仙已晤慶午，欲聯絡湖南團體中人；慶午已應之，而同人中有不欲者，故約於今日集議。既至，慶午先提議，星臺則主以吾團體與之聯合之說；慶午則主形式上入孫逸仙會，而精神上仍存吾團體之說」。可見，孫中山對湖南的革命團體不僅「問津」了，而且試圖與之聯合。由此再回頭看「新論」所引宮崎寅藏的回憶，可以想見孫、黃會晤的內容之一，當是「聯絡湖南團體中人」。只是因為宮崎寅藏聽不懂漢語，無法瞭解具體內容，不能詳細記述而已。這樣，對「新論」引為論據的7月28日宋教仁日記自然產生懷疑和異議。其引文省去了前面的幾句，經查對原文為：

「余既見面，逸仙問此間同志多少如何？時陳君星臺亦在坐，余未及答，星臺乃將去歲湖南風潮事稍談一二及辦事之方法，訖；逸仙乃縱談現今大勢及革命方法，大概不外聯絡人才一義，……此一省欲起事，彼一省亦欲起事，不相聯絡，各自號召，終必成秦末二十餘國之爭，元末朱、陳、張、明之亂。此時各國乘而干涉之，則中國必亡無疑矣。故現今之主義，總以互相聯絡為要」。

這裡孫中山談的恰恰是與湖南及其它各省的團體聯合起來統一行動的必要性和重要性，而且孫中山這次來到《二十世紀之支那》社，就是為了通過宋教仁、陳天華這樣的領袖人物，來爭取這個團體中為

數不少的骨幹分子的支持。「新論」取這一史料中間的一段以證明孫
中山沒有團體聯絡的意向，如此行文論證，似不夠嚴肅。拙文過去認
為：「孫中山曾設想過各個團體的聯合，但在實行過程中，這一願望
未能實現。」至今仍堅持這一看法。

　　孫中山之所以通過黃興來聯絡湖南團體中人，通過宋教仁等聯絡
《二十世紀之支那》社的兩湖人士，正是因為把他們看成這些團體的
領導人，而絕非拋開組織進行單純的個人聯繫。既然這時在東京保留
了組織的其它革命小團體只有華興會，而華興會又沒有通過團體聯合
的動議，同盟會當然就不能在小團體聯合的基礎上建立起來。即使如
此，孫中山對留日學界的一些略具組織雛形的小集團也未曾忽視，他
不僅通過程家檉、胡毅生、馬君武等人奔走串聯，而且親自登門，宣
傳動員，把這些小集團的骨幹大都吸收到同盟會的組織中來，如鄧家
彥等人的「革命團體」。對此已有人做過具體探討，事實是清楚準確
的。過去講同盟會是幾個小團體聯合，應理解為由這些團體的力量組
成新的全國性組織，而不一定指組織的相互聯盟，這一點章開沅教授
早已撰文闡明。「新論」把這些概念混淆在一起，以同盟會不是各團
體的組織聯合或聯盟而否定孫中山聯絡其它革命團體的意向，甚至把
團體與個人機械地硬性割裂開來，把孫中山爭取其它革命團體的一系
列活動曲解為對其它革命團體不聞不問，把孫中山通過其它革命團體
的代表人物來發動其成員說成是不把他們當成某一個革命團體的領導
人看待，則顯然與史實不相吻合。

　　值得注意的是，1903年7月至9月孫中山在日本期間，與前中國教
育會會長黃宗仰過從甚密，由此與上海革命黨人建立聯繫。到檀香山
後，他函告黃宗仰：「務望在滬同志，亦遙作聲援，如有新書新報，
務要設法多寄往美洲及檀香山分售，使人人知所適從，並當竭力大擊

保皇毒焰於各地也。」[23]後來中國教育會的機關報《警鐘日報》以及由該會會員主辦的《大陸報》，果然陸續刊載關於孫中山掃蕩保皇派的報導、傳單、信函等，並不斷發表批判保皇論調的文章，與興中會的《中國日報》遙相呼應。

1903年10月，中國教育會內部發生分裂，多方調解無效，陳少白還以同黨內訌，專程趕到上海進行斡旋。這說明孫中山對其它革命團體並非視而不見。李自重甚至明確地說：「同盟會醞釀成立早於1903年，余等在東京青山軍校學習時，中山先生常與我等談及計劃把國外各革命組織聯合起來，統一目標，統一行動之問題。」[24]「新論」的作者可以對這些史料的可靠性提出異議，但不能置若罔聞，片面追求立論的新穎。退一步講，即使孫中山不想與其它小團體進行組織聯合，他也不至於愚蠢到拋開這些團體現成的組織而將其成員故意當成孤立的個人進行發動和聯絡。就連對洪門會黨這樣的舊式組織，孫中山尚且不會漠然置之，而是充分加以利用。通過具體的組織來擴大和發展力量，可以事半功倍，孫中山正是這樣做的，他取得了成功。

三　舊說新解

「新論」的作者以新立論，但在絕大多數史料的運用和過程的描述上，仍然是舊話重提，而且其中的一些論點近年來已經提出了修正意見。如1905年孫中山在歐洲與朱和中等人爭論的焦點，「新論」沿襲朱和中《歐洲同盟會紀實》的說法，認為留學生主張「更換新軍腦筋開通士子知識」，孫中山不以為然，「謂秀才不能造反，軍隊不能革

23　《孫中山全集》第1卷，第230頁。
24　李自重：《從興中會至辛亥革命的憶述》，《廣東辛亥革命史料》，第214-215頁。

命」，「終以借會黨暴動為可靠」。雙方辯論三天三夜，孫中山最後才同意雙管齊下，表示「今後將發展革命勢力於留學界，留學生之獻身革命者，分途作領導人」，遂成立革命團體。此事頗有可疑。如果孫中山至此才決定「發展革命勢力於留學界」，那麼以留學生為骨幹組成革命大團體就帶有很大的偶然性，而這與孫中山對待知識分子的一貫態度以及他試圖組織新的革命大團體的設想不相吻合。朱和中早年發表的《辛亥光復成於武漢之原因及歐洲發起同盟會之經過》一文，對這件事的記載有所不同。當時孫中山詢問將來成事之方略，他答以「改換新軍之頭腦，由營中起義。先生不肯信，謂兵士以服從為主，不能首義，首義之事，仍須同志自為之。」並指出要改革會黨條規，「使學生得以加入，領袖若輩，始得有濟」。[25]所以，雙方爭論的焦點應當是武裝起義以會黨還是以新軍為主體，知識分子的責任，是擔當領袖，絕無輕視其革命性的意思。

　　誠然，作者可以不同意拙見，卻不能不顧及自己文章的前後呼應關係。正如「新論」所引述的，惠州起義以後，「為了發展革命力量，壯大革命隊伍，於是孫中山『變更計劃，暫時中止國內各省之軍事行動，而專從聯絡學界及海外華僑入手。蓋留學界可以培植建設及軍事之人才，而華僑可以募集發動之資金，二者均為革命進行必經之途徑也。』」可見孫中山絕不是到了1905年與朱和中爭論三晝夜後，才幡然猛醒，改變了對留學生的看法。「新論」既然未能指出孫中山在這短短幾年間幾經反覆的變化過程，就不能不考慮如何在這兩種截然相反的記載中權衡取捨，自圓其說。

　　表述上的前後一致固然重要，更為重要的是文章立論的內在邏輯聯繫。「新論」既然主張孫中山很早就著手建立新的革命大團體，就

25　《建國月刊》第2卷第5期，1930年。

應注意這個團體賴以成立的組織基礎。以當時的情形論，孫中山所能指望的有這樣幾種力量，即會黨、華僑和知識分子，後者主要是指海外留學生。而要建立一個新的全國性革命政黨，顯然不能把注意力集中在會黨和華僑方面，其主要的依靠對象，只能是以留學生為主體的知識分子。因為這樣一個團體所要擔負的歷史使命，是武裝起義的領導、革命輿論的宣傳和革命成功後的建設，必須具備勝任政治、軍事、經濟、外交、文化等各方面工作的領導或骨幹人才，會黨不必論，華僑群體也很難提供如此全面眾多的適宜人才。

其實，早在興中會時期，其核心骨幹就是一批知識人，包括孫中山本人。同時正因為興中會的基礎多為會黨和華僑，對留學生和其它進步知識人缺乏足夠的號召力和吸引力，才需要另行組建革命大團體。從目前嚴重不足的史料中，也可以找到與孫中山行動相一致的思想軌跡。1900年惠州起義後，尤列亡走日本，與孫中山「議定革命進行二種計劃，一聯絡學界，一開導華僑」。[26]不久，孫中山總結歷史經驗，認為「歷朝成功，謀士功業在戰士之上，……士大夫以為然，中國革命成矣。」鑒於「中和興中，皆為海隅下層之雄，中國士大夫尚無組織」，他便與劉成禺、馮自由、程家檉等「開秘會於東京竹枝園飯店，分途遊說各省學生及遊歷有志人員」。[27]1901年春，孫中山在接待來訪的美國記者林奇時，特別指出「他擁有一批優秀的，被他稱為新式中國青年的追隨者，他們曾在英國、火奴魯魯和日本等地受教育」[28]。

據劉成禺記，1904年孫中山在美洲時曾說：「自《蘇報》鄒容《革命軍》發生後，中國各省已造成士大夫豪俊革命氣象，但無綱領

26 馮自由：《革命逸史》初集，第31頁。

27 劉成禺：《先總理舊德錄》，《國史館館刊》創刊號，1947年12月。

28 《孫中山全集》第1卷，第210頁。

組織，徒藉籌款，附黨於三合會，不足成中國大事也。乃謀設同盟會，指揮事業」[29]。劉成禺的回憶多有不實之詞，這一段話卻有所依據。1904年5月15日孫中山在三藩市某戲院舉行演說，會前致公堂所發公啟說：

> 「近者各省讀書士子遊學生徒，目擊滿清政府之腐敗，心傷中華種族之淪亡，莫不大聲疾呼，以排滿革命為救漢種獨一無二之大法門。無如新進志士，雖滿腔熱血，衝天義憤，而當此風氣甫開，正如大夢初覺，團體不大，實力未宏，言論雖足激發一代之風潮，而實事尚未能舉而措之施行也。只有空懷悲天憫人之心，徒有手無斧柯奈龜山何歎耳。」[30]

與《致公堂重訂新章要義》開頭那段文字相比較，這份公啟很可能也是出自孫中山之手。由於洪門改組並不順利，更加堅定了孫中山依靠留學生組黨的方針決策，所以他在歐洲時說：必須使留學生加入會黨，「領袖若輩，始得有濟」。到日本後再次強調：「必其聯合留學，歸國之後，於全國之秘密結社有以操縱之，義旗一舉，大地皆應，旬日之間，可以唾手而摧虜廷」[31]。

由此看來，如果承認1900年以後孫中山已決定「專從聯絡留學界及海外華僑入手」，組建新的革命大團體，就不能不修正朱和中《歐洲同盟會紀實》的說法，而改用他前此的記述。反之，則應當放棄孫中山早有建立新的全國性革命團體計劃的看法。「新論」將兩種相互牴觸的論據容於一文，用以證明自己的論點，而沒有解釋二者之間的關

---

29 劉成禺：《先總理舊德錄》，《國史館館刊》創刊號，1947年12月。

30 《警鐘日報》1904年7月2日。

31 宋教仁：《程家檉革命大事略》，《國史館館刊》第1卷第3號，1948年8月。

係，這種論證方式，與前面人為製造矛盾概念的做法形成鮮明對照。

在具體史料的運用上，「新論」亦欠細緻審慎，如所列7月30日同盟會預備會議的與會人員名單，把江西的陳榮恪、張華飛二人的籍貫誤記為河南。其所依據的《中國同盟會成立初期之會員名冊》，對與會者的時間記載有如下幾種情況：1. 依西曆記為乙巳7月30日；2. 依夏曆記為乙巳六月二十八日；3. 只記為乙巳六月；4. 時間空缺。前兩種情況比較好辦，基本可以確認是與會者，但後面兩種的取捨依據何在？如湖北的但燾、王家駒、劉一清，安徽的吳春生、王善達，廣東的區金鈞，都無日期，「新論」計入了情況相同的程家檉、吳春陽、田桐，顯然是參照了馮自由、胡毅生、鄒魯等人的記載。可是對照名冊，馮、胡、鄒等人關於具體人名的記載錯漏實在太多，難以作為捨棄的反證。特別是其中有的人在名冊上和與會諸人排列在一起，有的還夾於其間（如王家駒、劉一清、區金鈞），不能斷然排除。徐鏡心入會署期6月7日，當然值得斟酌，湖北的陶德瑤署期6月，在名冊上前後皆為與會者，很難一筆勾銷。「新論」既然是專門闡述有關問題，更應當慎之又慎。臺灣張玉法教授早已在所著《清季的革命團體》中對此做了詳細考訂，「新論」後出，理應勝出一籌。

「新論」為了證明孫中山處處以全國革命領袖自居，引述了賓敏陔的一段回憶，賓氏說他為孫中山籌畫路費，以二等車船票價計算，匯款二千法郎，遭到孫中山的嚴厲申斥，覆信說中國革命領袖坐二等車船有失臉面，於是賓只好再匯三千法郎。此則回憶值得推敲。孫中山習慣於乘坐高等艙座位，原因不在於擺革命領袖的架子，主要是出於安全方面的考慮，以避開閒雜人等，防止清政府的綁架暗殺。關於留歐學生為孫中山籌集旅費的詳情，朱和中、賀之才、賓敏陔、馮自由、劉成禺等人的記載，在次數、款額、用途方面頗多分歧，很難以某一說立論。據是年6月孫中山在巴黎復宮崎寅藏函：「早欲東歸，諸

事擬作面談也。不期旅資告乏，阻滯窮途，欲行不得，遂致久留至於今也。」[32]體會其意，與賓氏所記出入不小。

關於華興會討論是否入「孫逸仙會」的問題，「新論」斷然強調：「第一，這裡所說的『孫逸仙會』，不是指興中會，而是指孫中山將要成立的新團體而言」。此一斷言，或許不無道理，在下也曾有此感覺。但歷史研究必須從史料出發，以史料證明。對於這樣一個重要問題，不做任何具體考察，便以不容置疑的口氣提出來作為論據，是難以服人的。陳錫祺先生就不同意輕率地否認這裏有指興中會的可能性。事實上也的確有難以條理清楚之處。

據田桐《同盟會成立記》，籌備會召開的前一日，即7月29日，孫中山等人曾開「同盟會預備會於阪田町程家檉宅，到八、九人，商量各事及會名。孫公主張定名『中國革命黨』，黃公以此名一出，黨員行動不便。討論後，定名為『中國同盟會』」。華興會的會議也是7月29日召開的，時間是上午10點到中午1點，現在還無法證明這兩個會議哪一個在前。所謂「孫逸仙會」，應有兩種可能，即興中會或中國同盟會。如果是後者，那麼陳天華「以吾團體與之聯合」的主張似有些荒唐，因為此時同盟會尚未成立，無從聯合。而且中國同盟會是孫中山與留日學生共同組建，不能說是「孫逸仙會」，也不宜以湖南團體與這樣一個全國性團體聯合。況且當時連黨、會名稱尚未確定。

再者，宋教仁日記稱：「先是，孫逸仙已晤慶午，欲聯絡湖南團體中人；慶午已應之，而同人中有不欲者，故約於今日集議。」則孫、黃會晤又在此前。既然如此，怎麼能把此處的「孫逸仙會」斷定為將要成立的新團體呢？顯然還存在如下的可能性，即7月29日以前，孫、黃會晤，商議團體聯合。7月29日，華興會討論聯合事宜，

---

32 《孫中山全集》第1卷，第274頁。

結果決定聽憑個人自由。然後孫、黃等人再開小型預備會議，確定組織名稱和其它具體事宜。在華興會方面對團體聯合未做決定之前，孫、黃會晤的內容沒有得到落實，難以討論建立組織的實質性問題。據馮自由記，在7月30日大會上，對組織名稱還進行過反覆討論，最後才確定下來。這些材料，「新論」統統不作說明，結果結論得出了，而問題依然存在。

同盟會成立前的這一段歷史，由於種種原因，至今仍有不少模糊不清的疑點。正因為如此，必須全面掌握和鑒別現有史料，力求發掘新史料，不要再人為地留下更多視而不見的盲點或製造新的混亂。在現有史料不足以得出肯定或否定判斷的情況下，應當採取認真謹慎的態度，充分考慮到事物發展的各種可能性，留以闕疑，以體現史學求真的嚴肅性。從論點出發任意取捨史料的做法是不足取的。

同盟會成立時孫中山的政治形象

　　關於孫中山在同盟會成立前的政治形象，有兩點頗具爭議，一是政治宗旨的革命與否，二是政治領袖身份的認同。後者亦即孫中山被視為全國性代表還是地方性代表。分歧各方均有所依據，揭示了部分史實，可是歷史真相畢竟只有一種。問題可能在於，後人以為針鋒相對處，當時人不一定要做非此即彼的選擇。沒有對那一時代的瞭解之同情，拿了後來的觀念揣度前人思想，系統條理的解釋之下，人為製造的矛盾難以避免。

一　文化英雄

　　涉及這一問題的兩則代表性史料，一般研究者均耳熟能詳。

　　史料之一，是1903年黃中黃（章士釗）譯述的《孫逸仙·自序》：

> 「孫逸仙者，近今談革命者之初祖，實行革命者之北辰，此有耳目者所同認。……孫逸仙者，非一氏之私號，乃新中國新發現之名詞也。有孫逸仙，而中國始可為，則孫逸仙者，實中國過渡虛懸無薄之隱針。天相中國，則孫逸仙之一怪物，不可以不出世。即無今之孫逸仙，吾知今之孫逸仙之景與罔兩，亦必照此幽幽之鬼域也。世有疑吾言者乎，則請驗孫逸仙之原質為何物。以孫逸仙之原質而製造之，又為何物。此二物者，非孫逸仙之所獨有，不過吾取孫逸仙而名吾物，則適成為孫逸仙而

已。既知此議，則談興中國者，不可脫離孫逸仙三字。非孫逸仙而能興中國也，所以為孫逸仙者而能興中國也。則孫逸仙與中國之關係，當視為克虜伯炮彈之成一聯屬名詞，而後不悖此書之宗旨。且影響之及於中國前途者，當無涯量通紀黃帝之子孫也。有能循吾黃帝之業者，則視為性命之所在。」[1]

史料之二，是過庭（陳天華）1905年所寫《紀東京留學生歡迎孫君逸仙事》：

「孫君逸仙者，非成功之英雄，而失敗之英雄也；非異國之英雄，而本民族之英雄也。雖屢失敗，而於將來有大望；雖為本民族之英雄，而其為英雄也，決不可以本族限之，實為世界之大人物。彼之理想，彼之抱負，非徒注眼於本族止也，欲於全球之政界上社會上開一新紀元，放一大異彩。後世吾不知也，以現在之中國論，則吾敢下一斷辭曰：是吾四萬萬人之代表也，是中國英雄中之英雄也！斯言也，微獨吾信之，國民所公認也。……或有謂余者曰：『人不可失自尊心也。孫君英雄，吾獨非英雄乎？若之何其崇拜之也！』答之曰：唯唯，否否，不然。人固不可失自尊心，然吾崇拜民族主義者也，以崇拜民族主義之故，因而崇拜實行民主主義之孫君，吾豈崇拜孫君哉，仍崇拜民族主義也。敬重軍隊者，因而敬重軍旗，夫軍旗有何知識，而亦須敬重之耶？亦以軍隊泛而無著，寄其敬重之心於軍旗耳。」[2]

1　中國史學會主編：《中國近代史資料叢刊・辛亥革命》第1冊，第90頁。

2　《民報》第1號，1905年11月26日。

　　這兩段話傳達的信息有三，其一，孫中山是中國四萬萬人的代表；其二，中國人需要統一的代表，而孫中山適逢其會；其三，孫中山成為中國人的代表，有其主觀能動的作用。易言之，孫中山作為全國性政治代表，得到當時一般激進知識分子的認同，而這種認同的文化涵義顯然大於組織涵義。也就是說，儘管激進知識分子並不認為孫中山是已經掌握著具有全國性實力的社團黨派的政治領袖，甚至可能將興中會看做地方性團體，仍然願意擁戴他為全中國人象徵性的政治旗幟。要理解這一點，必須深入瞭解中國固有政治文化的某些關鍵概念。

　　許多中外學者指出，中國實為一文化集合體，炎黃子孫由不同血緣構成，以文化認同分文野之判。因而對於中國而言，文化較政治有著更加重要的支撐作用。春秋戰國以降，諸侯稱霸，群雄割據，豪強紛爭，異族入侵，分、亂的時間遠遠多於合、治。即使就常態而言，大小傳統長期並存互滲，地域色彩千姿百態，使得不少外國學者認為「中國」的觀念僅僅存在於士大夫的精神世界，一般百姓則只有地方觀念而無國家意識。然而，中國不僅維持了廣大的疆域，眾多的人口，而且社會文化一脈相承，在世界文明史中十分突出。其中作為文化命脈擔負者的知識人的地位的確極為重要。凸顯其作用的要素之一，則是傳統的天下意識。

　　清末民初的知識人中，顧炎武的「亡國」與「亡天下」之辨被經常提及。顧氏《日知錄·正始》說：「有亡國有亡天下，亡國與亡天下悉辨？曰：易姓改號，謂之亡國。仁義充塞，而至於率獸食人，人將相食，謂之亡天下。」國與天下，本是先秦士人對於諸侯割據政治的文化超越，使人們在殘酷的亂世中得以跳出一家一姓興亡更替的狹隘和絕望，同時表明以文化立國的中華民族，文化存亡乃是民族興衰的關鍵所在。與此相應，至少在知識人的自覺中，文化擔負者的社會

責任，較權力執掌者更為重大。因為後者的「國」不過一己之私，前者的「天下」才是大公無私。此後，天下觀主要在三方面與「國」相對，其一，在割據紛爭、民族危亡、朝代興替之際，以文化為內涵的「天下」可以統合、承續民族的命脈；其二，在政治黑暗時期，以民意為內核的「天下」扼制權力的惡性膨脹。其三，「天下」超越狹隘的地域性，將千姿百態的小傳統凝聚一體。參加同盟會的激進分子，雖然接受了近代西方的新式教育和革新派的政治宣傳，畢竟是新舊兼半的過渡人，在他們身上，傳統的天下觀烙印甚深。

　　「天下」並不僅僅存在於知識人的心中，在這一重要的社會載體之外，還有文化英雄作為象徵，有一整套社會機制形成保障。因此，「天下」在中國傳統社會的政治文化中，不僅是理念，更重要的是已經被物化為現實生活。黃中黃所提到的黃帝，便是中華民族最早的文化英雄。如果真的相信炎黃是中國人的不二先祖，不免要上周人的當。但對於現世的中華兒女，黃帝又是不可或缺的精神象徵。沒有這種始祖型的民族偶像，並非血緣關係的文化紐帶便容易斷裂。章士釗、陳天華對於孫中山的推崇，思維方式與此極為近似，前者更直接以黃帝比附，反映了中國必需統一的民族文化英雄的現實追求。只是在排滿革命的背景下，孫中山的政治色彩更為突出。

　　令天下觀物化的更重要因素，在於它得到一整套社會機制的有力支撐。受方法和觀念的影響，對晚清士紳的研究往往過於強調其地域的代表身份和角色作用，多少忽視了他們超越地方的天下關懷。士的主要出路在於做官教學，有清一代，實行迴避、寄籍等項制度，促使士紳在為官、入幕、執教、治學等方面，通過血緣、地緣、業緣關係，如血親、姻親、同鄉、同年、同窗、同僚、師生、同行等，相互援引，結成地理分佈廣闊的社會網路。這樣，許多人一生的活動範圍不僅遠遠超出鄉里，而且跨越原籍的省府州縣，其縱橫交錯的社會關

係與交流更是覆蓋全國廣大區域，這就使得他們從儒家思想中繼承下來的天下意識獲得制度化的現實支撐。誠然，他們並不總是用天下觀來看待一切事物，地域意識有時十分強烈，但這往往是在不涉及天下與化外的關係時才是如此。也就是說，地域考慮往往在「天下」內部，而天下觀的凸顯，則涉及與外部的關係。西方的近代國家民族觀念傳入中國之後，與傳統的天下意識相融合，又受時局的影響刺激，使知識人的全國意向更加自覺。這使得人們在從事政治性社會活動時，需要整個民族的共同旗幟與代表。

二　統一與反滿

對孫中山代表身份認同的政治與文化差異，受兩方面因素制約，一是革新勢力的狀況，二是孫中山的主觀態度和努力。如果說，庚子以前中國革新勢力的主流是開明士紳，此後則轉變為國內外新式學堂學生，而留日學生的動向尤為重要。在此期間，留日學界組織上處於結小群以成大群和愛國必自愛鄉始的過渡階段，分治與統一的趨向既矛盾衝突又相反相成；政治上則經歷著由維新而革命的角色偶像的更替轉移，不少人尚未完成最終調適。

關於這一時期留日學界組織上兩種傾向互競的情況，前人已有深入研究和精闢分析。[3] 1902年後，留日學界各省同鄉會紛紛成立，顯示了自立自治意識的覺醒。但由此而生的弊端也日益顯現，本來為溝通留學生聲氣的「神田之留學生會館，不和之氣，撲人眉宇，同鄉桑樣之謂，塞於耳鼓。」[4] 於是很快有人出來呼籲破除省界觀念，強化

3　參見章開沅：《時代・祖國・鄉里——辛亥革命時期社會思潮試析之一》，《辛亥革命與近代社會》，天津人民出版社1985年版，第15-23頁。

4　《離合篇》，《大陸》第1年第8號，1903年7月。

國界意識。因嚴分省界而遭受批評的浙江同鄉會在其機關刊物《浙江潮》上發表專論《非省界》，在接受破除省界的意見之外，進而提出：「拔各省精華而建為統一會」，由全體留學生共組「各省協會」。[5]這種組建統一組織的意願不僅為浙省留學生所獨有，其它省份的學生也不謀而合。1903年4月16日，江蘇籍留日學生鈕永建在寫給吳稚暉的信中詳細談到有關情形：

「江蘇會粗有頭緒，有屠寬者擬聯一中央協會，曾約弟同開會一次，提議贊成者有三分之二，擬再商榷數次，草定章程，約於華曆三月間期其必成。其約法略如左：
一、本會為各省同鄉會之中央機關，以謀留學生事務之統一。
二、本會以中華本部學生組織之，滿人在外。
三、本會會員分三種：一評議員由各省會公舉，每省例舉二人，其法以二十人舉一人為第（約可得評議員六十人）；一會員由同志者組成之（約可得三百人）；一職員由會員公舉。
四、本會之法團有三：一教育研究團（謀編纂教科書，改良新文新字等）；二、政法研究團（謀自治制度，立施政方針，詳議憲法等）；各省雜誌記者團（以謀宗旨之改良及統一）。
以上云云，不過一時擬議，其所造亦不過形式上之普通機關，此機關既立，然後另謀精神之作用及組織經濟機關。」[6]

該計劃因抗法拒俄運動接踵而至，遂告擱置，但影響尤存。拒俄

5 《浙江潮》第3期，1903年4月17日。

6 楊愷齡編：《鈕惕生（永建）先生遺劄選集》，沈雲龍編：《近代中國史料叢刊續編》第26輯之254，臺北，文海出版社1976年版，第69-73頁。原書稱是函寫於清光緒二十六年即1900年，誤。函中提及鄒容歸國赴滬之事，當為1903年所作。

運動中，東京留學生組成軍國民教育會，聚議中央協會諸人成為其中骨幹。因姚文甫剪辮事而歸國回到上海的四川留學生鄒容，倡設中國學生同盟會，要求各省各設總部，各府縣各設分部，使「學界成一絕大法團體」[7]，也是此事的發展擴大。鄒容參與了中央協會的籌畫，鈕永建對他評價極高，稱其「聰明強悍，在東京未見其匹」[8]，特意介紹吳稚暉與之相晤。

在由專制政治向民主政治的過渡期間，立大團體的要素之一，便是出現文化英雄式的領袖人物。鈕永建歎息：「海外商人志士欲圖改革者不少，惟無人能統一之。」他以為吳稚暉之「大名震於北美及東洋，如能為大運動，必可統一之。」希望後者騰出數月工夫，「往美洲一行，建立各種基礎。」其實吳的聲望地位遠不足以勝此重任。20世紀初葉，中國革新勢力的主體由開明士紳轉嚮學堂學生，人們認識到，「各國之改革，必學生先發動力，然後由學生運動資本家及勞動者。今中國獨學生未發動力，故事不成。試觀數年以來資本家及下等社會已早發動，彼無學生為之中心點，故不能成事。」[9]而學生極容易「誤解自由、平等、獨立諸理論，而遽欲行之於事實也」，結果「人人欲為首領」，群豪並起，互爭雄長，整體反而陷於群龍無首的局面。同盟會成立前，秦力山鑒於「昔有所謂黨而惜其無人，今有所謂人而憂其不黨。吾恐革新之運動，不能二致而群策群力，則效力恐終難望也」，號召立大黨，設總機關，而以「虛首領之位」[10]的方法，避免腦筋中沾滯著平等觀念的同志互生疑忌，試圖以此解決相互爭雄

7 　《論中國學生同盟會之發起》，1903年5月30日《蘇報》。

8 　《鈕惕生(永建)先生遺劄選集》，沈雲龍編：《近代中國史料叢刊續編》第26輯之254，第69-73頁。

9 　《鈕惕生(永建)先生遺劄選集》，沈雲龍編：《近代中國史料叢刊續編》第26輯之254，第69-73頁。

10 秦力山：《說革命》，彭國興、劉晴波編：《秦力山集》，第163-171頁。

的問題。這種以歐美民主政治為樣板的模式，尚與國情不合，很難在制約權力競爭的同時保證效率和力量。

在青年學生中影響較大的，本來是啟蒙思想宣傳大家梁啟超。庚子勤王失敗後，保皇會的政治主張面臨強烈衝擊，「各埠之稍聰明者，無一人不言革命，即現在同門同志、同辦事之人，亦無一人不如是。即使強制之，口雖不言，而心亦終不以為然也。至於東中、米中遊學諸生，更無論矣。蓋民智漸開，止之無可止。」[11]原本就主張借勤王以興民政的梁啟超、歐榘甲等人，排滿革命情緒逐漸高漲，在所辦刊物上紛紛「言革」，引起青年學子的強烈共鳴。這種異動雖然遭到康有為的嚴詞斥責和極力壓制，甚至欲將歐榘甲逐出師門，梁啟超等人仍不屈從，公開表示：「弟子今日若面從先生之誠，他日亦必不能實行也」[12]，還提出以民主表決方式抉擇宗旨。政治上何去何從，成為這一派迫待解決的頭等大事。

關於此事，王學莊先生有一極具真知灼見的推測，他認為，1903年元旦留日學生團拜大會上，馬君武和樊錐兩人在演說中分別鼓吹排滿和同種主張。很可能是梁啟超布置導演的一出雙簧，目的在於測試民心向背，以便向康有為進言，促其適時變換宗旨。根據之一，樊錐前此已經傾向反滿；根據之二，馬君武的四首《壬寅春送梁任父之美洲》詩，當寫於癸卯而倒填日期，因為梁啟超赴美在1903年初，1902年春他並無美洲之行。其中二首道：

> 「千古兩箴言，四海幾同道？神州風雲惡，祝君歸來早。
> 撫劍借青鋒，飲冰療內熱。志士多苦心，臨歧不能說。」[13]

11　《徐勤致康有為書》，上海市文物保管委員會編：《康有為與保皇會》，第200頁。

12　丁文江、趙豐田編：《梁啟超年譜長編》，第285-287頁。

13　莫世樣編：《馬君武集》，武漢，華中師範大學出版社1991年版，第399頁。

明顯有希望早定宗旨之意。此說雖然很難找到直接證據，卻不無可信。梁啟超赴美行程中對元旦大會的影響頗為關注，當時以良弼為首的滿族親貴學生，對於馬君武公開演說排滿反應極為強烈，「倡立一會，其宗旨有三，第一，稟求政府禁漢人學兵。第二，削奪漢官之權。第三，殺滅漢族。會中人若得勢之日，不殺漢人，群斥為豬狗，絕不認為滿人。」[14]4月，梁啟超從溫哥華致函徐勤，說：「東京學生有大鬧事。因滿洲鬼良弼（滿人派來學兵者）干涉監督，不許送學生學軍故也。須開一十八省漢族統一學生會云。中國實舍革命外無別法，惟今勿言耳。」[15]值得注意的是，前引鈕永建致吳稚輝函所說中央協會，也規定只包括中華本部學生而排斥滿人，至少精神上與梁啟超相通，二者之間很可能還有某種因緣關係。

　　拒外與反滿，是激生國家民族整體意識的兩大時勢。前者尤其作用於留學生。「以留居東京，多生無窮之感情，多受外界之刺激，故苟非涼血類之動物，殆無不有國家二字浮於腦海者。」[16]後者則是清政府實行歧視政策，使漢族學生認識到彼此利益的一致。與此相應，這一時期的政治文化英雄必需具有一定的國際聲望，而又堅持以自由民權為理想的反清革命宗旨和行動。對此，梁啟超至少是候選人之一。遺憾的是，在反清已成氣候的形勢下，梁自美洲歸來後宣布告別共和革命，非但不講，甚至不信。受其影響傾向反滿革命的青年學生隨即與之分道揚鑣，另找政治代表，堅持革命立場的孫中山自然成為理想人選。而梁啟超前此所造之勢，不僅為留學生提供了批判的口實，也增加了孫中山的政治資本。只是這樣一來，本不享有精神導師

14　《滿洲留學生風潮》，《選報》第51期，1903年5月10日。

15　丁文江、趙豐田編：《梁啟超年譜長編》，第318頁。

16　《論中國學生同盟會之發起》，1903年5月30日《蘇報》。

聲譽的孫中山，在作為政治領袖實力又不足夠的情況下，文化英雄的形象容易受到削弱和挑戰，反過來使實力不足的缺陷更顯突出。

三　天下為公

　　形勢比人強雖為至理，孫中山的主觀努力仍然不容忽視。

　　孫中山對中國固有文化的掌握，學理上不一定多，理解起來卻頗顯悟性。「天下為公」，是他一生中書寫最多的題詞之一，便是明證，表現了宏大的胸懷與寬廣的眼界。早在興中會成立之初，他就認識到中國一旦分裂，必然衰亡，宣佈應當「痛絕」那種「畛域互分，彼此歧視」的劣習，「以昭大公，而杜流弊」。[17]這一信念在他始終不渝。同盟會籌組之際，孫中山對宋教仁、陳天華等人「縱談現今大勢及革命方法」，「言中國現在不必憂各國之瓜分，但憂自己之內訌。此一省欲起事，彼一省亦欲起事，不相聯絡，各自號召，終成秦末二十餘國之爭，元末朱、陳、張、明之亂，此時各國乘而干涉之，則中國必亡無疑矣。故現今之主義，總以互相聯絡為要。」[18]所強調的仍是當合不當分。這不僅是政治時勢的需要，也是中國的文化特性使然。

　　同盟會成立的當年，地域之爭在國內學界又趨劇烈，于右任發表《致主持分省諸君子書》，指出：「吾曹雖不同省而皆同國土，雖不同省而皆同宗教，雖不同省而皆同種族。同種族則同倫，同宗教則同門，同國土則當同患難，舉目四萬萬皆骨肉也，牽枝連葉有如此密切之關係，故前攜後引齊上舞臺則分也，而此擠彼排處處下逐客之令，則竊有不敢謂然者。」[19]同盟會機關報《民報》則在第1號上刊載專文

17　《香港興中會章程》，《孫中山全集》第1卷，第22頁。
18　湖南省哲學社會科學研究所古代近代史研究室校注：《宋教仁日記》，第90頁。
19　《大公報》1905年12月3日。

《今日豈分省之日耶》，批評由立憲派控制的江蘇學會「嚴正省界」，堅持孫中山的大合主張，並宣告於天下國人。

孫中山的天下關懷並非僅僅停留於精神世界，像有的學者所描述的那樣，在實際政治運作中，較多地依賴地緣關係的紐帶，成為地域群體的代言人。同盟會成立後，孫中山已經具有全國性政治代表的身份，所作所為當然會以國家為準的。即使在此之前，他也絕不希望自己局限於珠江流域一隅，而是始終堅持不懈地努力將影響和行動擴展到長江流域乃至全國。1895年廣州起義前，孫中山在香港會見日本駐港領事中川恒次郎，提出起義時將和康有為、吳漢〔瀚〕濤、曾紀澤之子等人共同擔任統領。[20]

吳名廣霈，字琴爰，安微人，1876年，以首任駐日公使隨員身份赴日，後升任神戶副領事。[21] 1879年王韜遊曆日本時與之相交，大為讚賞，稱其「年少有才，蹈厲奮發，要自不凡。」又說：「瀚濤今世豪傑士也，年少而才奇，識見超卓，志量恢擴，當今殆罕其儔。」兩人詩酒互酬，「談兵論劍」，情誼甚篤。吳瀚濤贈詩道：「什年飄泊遯南翁，跋扈飛揚意態雄；白也世人皆曰殺，鳳兮吾道豈終窮；難銷斫地悲歌氣，盡有登樓作賦風；恰恨生才才不用，由來多事是蒼穹。」「傀我同為東海客，卑官抗俗走塵埃；狂奴久已攖時忌，笑口何期為子開；白璧青蠅寧足浼，美人醇酒亦堪哀；敬亭山色珠江月，落落寰中兩霸才。」王韜詩曰：「平生豪氣俯凡流，今日逢君讓一籌。舉世豈真無北海，論交當自有南洲。從茲一別七千里，此後重逢五大洲。天下事今猶可挽，出山霖雨為民謀。」「慷慨論心意氣豪，忘年直欲締深交；眼中齷齪空餘子，世上模棱笑汝曹；使酒談兵與俗忤，哀絲

---

20 《原敬關係文書》第2卷書翰篇，第392、393頁。
21 明治31年10月23日兵庫縣大森知事致大限外相，兵發秘第486號。

脆竹要才銷；黃河泰岱他時事，今日先占立品高。」[22]次年，黃遵憲
與日本友人筆談，提及這位年僅二十三四歲，「其才絕群」的使館隨
員，極口稱道：「此人卓犖不凡，⋯⋯他日終為有用材，與僕極知
好。」[23]

曾紀澤之子，當為曾廣銓，他本是曾紀澤弟曾紀鴻的第三子，因
紀澤子早殤而過繼之。其少年時即立志自食其力，後隨嗣父赴歐，留
學英國，通英文。孫中山瞭解上述二人，很可能是上年春到上海找關
係上書李鴻章時，從王韜處得知若干信息。此舉表明，孫中山一開始
就極力想將自己的勢力擴展到長江一帶，力爭得到政治文化中心區域
的士紳的支持。

此後，孫中山雖然不能踏足故國土地，仍然爭取利用各種機會廣
泛結交各地志士。由於甲午戰後中國的亡國危機日益嚴重，進步人士
為了實現救亡革新，也逐漸將反清的孫中山視為可能合作或利用的政
治勢力。1895年3月，梁啟超函告汪康年：「孫某非哥中人，度略通西
學，憤嫉時變之流，其徒皆粵人之商於南洋、亞美及前之出洋學生，
他省甚少。」[24] 1897年底德國佔領膠州灣後，汪康年與曾廣銓借考察

---

22 王韜著、陳尚凡、任光亮校點：《扶桑日記》，長沙，嶽麓書社1985年版，第182-193
頁。

23 鄭子瑜、實藤惠秀編：《黃遵憲與日本友人筆談遺稿》，早稻田大學東洋文學研究會
出版，沈雲龍主編：《近代中國史料叢刊續編》第10輯之94，臺北，文海出版社
1974年版，第319頁。吳瀚濤歸國後，「通仙佛之旨」，與孫寶瑄等上海名士有交
（孫寶瑄：《忘山廬日記》，第186、187頁）。戊戌政變，與興亞會會員惲玉茗避走
日本，見原《蘇報》主人胡鐵梅（明治31年10月23日兵庫縣大森知事致大隈外相，
兵發秘第486號；明治31年N月26日神奈川縣淺田知事致大隈外相，秘甲第760號）。
晚年鬱鬱不得志，李瑞清致其書謂：「今世豈復有能用公者?瑞清以為不如且隱居以
待時也。瑞清甚自恨人微言輕，數言之當事者，莫能用也。見公之困，莫能濟
也。」（李瑞清：《清道人遺集》卷二，沈雲龍主編：《中國近代史料叢刊》第42輯
之416，臺北，文海出版社1969年版，第65頁）

24 上海圖書館編：《汪康年師友書劄》（二），第1813頁。

報務為名，東渡日本，決心結合中日兩國民間勢力，救亡圖存。在日期間，與孫中山有所交往。1898年1月，孫中山專程陪同他們到大阪，與僑商孫實甫、留學生汪有齡、稽侃等會見《大版每日新聞》記者。[25]儘管汪對孫中山印象不佳，認為：「行者之無能為」[26]，兩派的聯繫交往仍然繼續。1899年秋，由梁啟超介紹，孫中山會見了前來考察學務的周善培。1900年春，又與來訪的文廷式會面，討論國事。

　　與此同時，孫中山還積極與康有為、梁啟超一派聯絡。1895年廣州起義前，他曾主動邀請康、梁等人加入農學會，事雖未果，興中會與康門弟子的關係卻一直保持，如港澳地區的興中會員陳少白、區風墀與何樹齡、張玉濤等就始終有所聯繫。從歐洲返回日本後，孫中山曾經接到何樹齡反映「中國群賢之公意」的來信，也打算發函去上海，「請梁啟超或其親信一人到此一遊，同商大事。」[27]關於此事，維新派內部曾經討論，不贊成梁貿然成行。戊戌變法失敗後，康、梁等維新派人士流亡日本，孫中山幾次要求雙方合作行動。以後通過畢永年的介紹，首先實現與湖南維新派的合作，又接受唐才常求同存異、聯合併舉的計劃，甚至與梁啟超一派的江島十二郎商議聯合組黨。

　　最能反映孫中山政治抱負的，當屬他對庚子勤王的態度。開始他接受唐才常的勸告，只同意聯合併舉，殊途同歸，而堅持反滿立場，極力說服梁啟超贊成其主張。1900年4月，梁啟超鑒於年初廢立之爭後，「事勢一大變遷」，「全國人心恍動奮發，熱力驟增數倍。望勤王之師，如大旱之望雨。今若乘此機會用此名號，真乃事半功倍」，勸孫中山審時度勢，稍作變通，將「倒滿洲以興民政」的政綱暫時改作

25　《清國新聞記者》，1898年1月17日《大阪每日新聞》。參見藤谷浩悅：《戊戌變法と東亞會》，《史鋒》第2號，1989年3月31日。

26　上海圖書館編：《汪康年師友書劄》（一），第782頁。

27　《與宮崎寅藏等筆談》，《孫中山全集》第1卷，第179-180頁。

「借勤王以興民政」，以利於成事，還約期與孫「握手共入中原」。[28]
目前無法找到孫中山的覆函，或其它能夠表明其反應的直接材料，從
相應的言行看，他顯然接受了梁啟超的建議。不久，他便遠赴南洋，
試圖與康有為磋商，「為我們共同路線上的聯合行動作出安排」[29]，趁
此良機，「實行大同團結，共同行動。」[30]並對新當選的中國議會議長
容閎表示支持。誠然，孫中山沒有放棄興中會單獨行動的計劃，也不
打算在其中使用勤王旗號，限於實力，他計劃在南中國成立一個聯邦
共和國。[31]而這並不意味著他已將目光從全國收縮到華南，推翻北京
中央政府，始終是其主要的行動目標。8月中旬，他與歸國參加自立
軍起義的梁啟超協調行動。決定暫停廣東軍事，趕往上海，準備伺機
和其它興中會員一道，奔赴長江大舉。

　　顯然，在孫中山早期的政治活動中，他只是將自己與天下相聯繫
而非相等同，常常處於合作、輔助和旁支的地位。1895年廣州起義之
際，當被問到成功後誰為總統時，他回答說尚未及考慮，[32]則四位統
領均是可能人選。庚子亂局中，他先是支持唐才常的長江中樞地位，
繼而又肯定容閎為眾望所歸。這表明，一方面，在革新勢力主體發生
變化前，孫中山不容易得到開明士紳的普遍擁戴。另一方面，在政治
實力不足的情況下，他能夠以天下而不以個人得失為準的。此後，他
針對局勢和力量的變化，適時調整部署，努力組建大團體，以領導革
命事業。正因為孫中山堅持反清立場和全國性政治抱負，獲得了一定
的國際聲望，才會被激進的留學生視為全國革命黨人乃至四萬萬同胞

---

28 丁文江、趙豐田編：《梁啟超年譜長編》，第258頁。

29 《與斯韋頓漢等的談話》，《孫中山全集》第1卷，第195頁。

30 明治33年7月21日福岡縣知事深野一三致青木外相，高秘第770號。

31 參見《孫中山全集》第1卷，第189、196頁；陳錫祺主編：《孫中山年譜長編》，第207頁。

32 《原敬關係文書》第2卷書翰篇，第392頁。

共同的政治旗幟。而他前此長時間的偏師地位，多少會對主要講求實力的政治角逐產生消極影響。這種政治領袖與文化英雄錯綜複雜的角色關係，幾乎影響了孫中山一生的成敗得失，也是近代中國革命進程中值得進一步深入探討的歷史現象。

孫中山與新加坡華僑

　　新加坡位於馬來半島南端，包括新加坡島和附近的60多個島嶼，面積共621平方公里。新加坡原是馬來亞柔佛王國的一部分，1824年淪為英國的殖民地，後改為英國海峽殖民地中的一個。由於新加坡扼太平洋與印度洋的咽喉，是世界海洋航路的中心之一，英國一直把新加坡作為遠東轉口貿易的重要商埠及其在東南亞的重要軍事基地。

　　華僑與近代以來新加坡的發展關係極為密切。1819年英國殖民者在此開埠時，只有30多位華僑，兩年後增加到1000多人。1860年，已有華人50043名，占全島人口的61%。1891年華僑增至2萬，占總人口的66%。1901年華僑人數達22萬，在總人口中所佔比例超過70%。他們絕大部分來自廣東、福建兩省，其中一部分是賣苦力而來的勞工，另一部分則是由經營商業者介紹來的親友同宗。因而，秘密會黨盛行是新加坡華僑的一大特色。

一　早期聯繫

　　孫中山很早就與新加坡華僑社會有所聯繫。他早年在香港讀書時，和兩位來自新加坡的同學吳傑模、黃怡益（康衢）十分熟悉。後來他決心從事革命，特別注重發動和爭取華僑、會黨，掌握了一些新加坡會黨首領的姓名和住址。興中會時期，為了發動武裝起義，孫中山還曾試圖從新加坡會黨中招募革命志士。1895年廣州起義失敗後，

孫中山輾轉來到倫敦，與當時因事羈留英國的新加坡著名華人知識分子、愛丁堡大學畢業的林文慶醫生結識。而興中會的另一領袖人物楊衢雲流亡途中經過新加坡，也與當地會黨有所接觸。

不過，19世紀末在新加坡華僑社會中影響最大的還是康有為、梁啟超等維新派的思想和活動。華僑身處異國，深受歧視淩辱，把自身的榮辱與祖國的獨立富強聯繫起來，關心故國的命運。這種愛國愛鄉之情在華僑聚居的新加坡表現得尤為強烈。中法戰爭期間，新加坡華僑曾慷慨捐款。一些有志之士還創辦報刊，溝通華僑和祖國的聯繫。早在1881年，新加坡華僑就創辦了華文《叻報》，多方介紹中國情況。1890年，又創辦了《星報》。中日甲午戰爭時，這些報紙反對屈辱議和，力主堅持抗戰。1895年5月，新加坡華僑富商邱菽園創辦《天南新報》，回應康、梁等人的宣導，在華僑中大力宣傳中國的變法維新，在海外首開華僑關心中國政治改革之風氣。《天南新報》的宣傳，在華人社會中產生了很大的影響。

戊戌變法失敗後，康有為等人流亡海外，他們利用光緒的開明形象和華僑的忠君愛國觀念，組織保皇會，得到華僑廣泛而熱烈的回應。1899年，新加坡的維新派領袖聯絡吉隆坡、仰光、巴達維亞、孟加錫等地華僑商界600餘人簽名上書清政府，要求光緒復政，並向美洲、檀香山和東南洋各地華僑發出倡議，呼籲聯成一氣，發奮自強，同心協力，興學育才，以救國難。1900年2月，康有為抵達新加坡，受到英國殖民當局的嚴密保護，與邱菽園、林文慶等人交往密切。由邱菽園出資，支持保皇會籌備勤王運動。

義和團使北方政局陷入混亂，孫中山領導的革命黨準備趁機在華南發動起義，同時與維新派聯合，實行長江大舉，推翻清政府，或建立區域性獨立政權。由於康有為的堅決反對，兩派聯合只能與梁啟超、唐才常等人攜手進行。隨著時機的日益成熟，為了進一步密切合

作關係，團結各方面力量，加強統一領導，計劃起義成功後的各項事業，孫中山決定前往新加坡與康有為商議，「為我們共同路線上的聯合行動作出安排」[1]。在代表孫中山到廣州和劉學詢洽談後，宮崎寅藏與清藤幸七郎轉赴新加坡，希望會見康有為。不料康有為疑心宮崎寅藏等人是清廷派來暗殺他的刺客，拒絕見面。僵持之中，英國殖民當局從不同途徑獲得消息，認為確有刺客，又截獲了宮崎寅藏致康有為的一封措辭激烈的信，遂將宮崎寅藏等人逮捕下獄。[2]

　　7月9日，在越南與法國殖民當局接洽後，孫中山帶領幾位日本友人按原定計劃抵達新加坡，得知宮崎寅藏等被捕，立即著手營救，在舊友林文慶、黃康衢、吳傑模以及日本領事館的協助下，[3]孫中山親

1　《與斯韋頓漢等的談話》，《孫中山全集》第1卷，第195頁。會見康有為的動議，宮崎寅藏稱是路經香港時由他提議，得到孫中山和同行諸人的贊同（宮崎滔天著，佚名初譯，林啟彥改譯、注釋：《三十三年之夢》，第182頁）。實則孫中山離開日本之前，已經有赴新加坡會見康有為的計劃（明治33年6月10日兵庫縣知事大森鍾一致青木外相兵發秘第300號）。

2　康有為指此案係林文慶主動，其函告女同薇曰：「日人之事，係發難於林君，此事於日本邦交極有礙，故我欲忍之，而林驟告督，遂為大案。然無如何，又不敢言其非，恐得罪林及英官也。其人為宮崎，誠是戊戌九月與我返日本者。但伊不合與孫同行，且為孫辦事。日本有兩電五信言其謀害也。」（上海市文物保管委員會編：《康有為與保皇會》，第177頁）其致柏原文太郎函稱：宮崎寅藏先找到邱菽園，邱告以康有為不在新加坡，宮崎遂托邱轉交康有為一函。康以故人來訪，甚喜，即日回信，並托門人送去百金，約宮崎相會，又向英國殖民當局要求回新加坡。不料日本某僧密告林文慶，宮崎寅藏一天接數封電報，上有康有為、邱菽園名字，又與人密談，稱刺殺康有為可得賞金數十萬。林文慶轉告邱菽園，恰好邱菽園接到電報，指孫中山為籌款事來新加坡，慎防生變。林文慶聞訊大驚，報告新加坡總督，請其密查。林又告知《天南新報》翻譯陳德遜，陳轉告日本人，宮崎寅藏得知，致函責康有為故意迴避。康有為聽說此事，即要林文慶請總督中止查辦。康自稱與宮崎故交，保證絕無行刺等事（東亞同文會編：《續對支回顧錄》下卷，第653-655頁）。其實康有為當時的確疑心宮崎寅藏的到來與行刺有關。

3　馮自由記：「林為星洲著名醫學博士，極得當地英吏信用，宮崎得以無事出境，即賴其斡旋之力。」（《華僑開國革命史》，中國社會科學院近代史研究所近代史資料

自出面向英國殖民總督瑞天咸為宮崎寅藏等人擔保,而且坦言來新加坡會晤康有為的目的,是想「就當前中國的問題徵詢他的意見,並向他提出我的勸告。」儘管孫中山「志在驅逐滿洲人」,而康有為「支持年青的皇帝」,孫中山還是希望與康磋商,「為我們在共同路線上的聯合行動作出安排」。[4]在孫中山等人的大力奔走下,殖民當局終於同意釋放宮崎寅藏和清藤幸七郎,同時決定將他們驅逐出境5年。瑞天咸還禁止孫中山在其領地上從事革命活動,試圖說服後者放棄推翻清政府的行動計劃。孫中山離境後不久,瑞天咸又下令5年內不許他入境。

此次新加坡之行雖然時間短暫,行動又受限制,孫中山仍積極與當地華僑接觸,和在華僑社會中有一定影響的黃乃裳訂交。黃自述經過云:

「余心嚮往孫君已久,因造其寓晤談數回,見其人謙沖鎮靜,學問淵博,滿懷悲憫,流露於言動舉止之外。且於基督教有深造之功,有堅卓之信。嘗謂:『華盛頓乃宗教家,起以十三州拒英,竟令美人脫英羈軛,先生亦同道中人,視華氏為何如?』余曰:『吾嘗譯美國史,知華氏美之堯舜,而其事難易,更與堯舜懸殊。』孫曰:『美史為先生手著乎?』曰:『然。』因離座為揖,遂相與訂交。臨行之前夕,酒闌,肅然

編輯組編:《華僑與辛亥革命》,第57頁);「時醫師林文慶在馬來群島負盛名,甚得當地政界信仰,總理於彼為舊交。……英官判宮崎離境,即林文慶為之說項也。」(馮自由:《革命逸史》初集《林義順事略》,第176頁)康有為則稱林文慶向總督說情係其指示。

4 《孫中山全集》第1卷,第195頁。黃乃裳《紱丞七十自敘》云:康有為「宗旨在保皇,擁護滿清,以酬其富貴封王之願。而孫中山在推倒專制之滿洲政府,以倣美利堅之共和民主為國。謂我與若合而為之,事成,任全國人民選舉民主,我與爾皆不必居此位。康聞之,大拂其意。」

為余曰：『凡人欲為社會國家謀幸福喜樂者，須自始至終貫
徹，負悲哀痛苦之責，觀路德馬丁與華氏諸人，可為榜樣。』
余聞其言，憚然有感曰：『先生之心志，毋亦基督救世之宗旨
乎？』孫垂首曰：『得罪得罪！』竟似為獎借逾分也者。而余
受其言之刺激，覺向所存公德之心，略為提高。而對於所為公
德事業，亦略有把握，而信仰於基督者，亦稍有所增益。」[5]

　　黃乃裳是林文慶的岳父，又與邱菽園鄉試同年，曾積極參與變法
維新。與孫中山會面後，對孫中山的風度精神印象極深，糾正了過去
對革命黨的許多偏見和誤解，開始閱讀反清書刊，政治信仰逐漸轉向
支持革命，後來成為新加坡華僑中重要的革命人士。在其影響下，當
地知識界與革命運動日漸接近。

二　《圖南日報》

　　惠州起義失敗，孫中山返回日本，與流亡來日的興中會骨幹尤列
商量，「議定革命進行二種計劃，一聯絡學界，一開導華僑。」[6]尤列
在日本橫濱成功地改造了華僑舊式團體中和堂，又於1901年4月赴新
加坡。先此，因惠州起義失敗逃亡到新加坡的革命黨人黃福、黃耀
庭、宋少東等，為避免保皇會的排擠和英國殖民當局的敵視，大都隱
居於下層社會中。尤列到新加坡後，以行醫為掩護，很快建立起一個
中和堂支部，利用華僑會黨群眾的反滿傳統，灌輸革命思想。1904
年，他在新加坡設立一處宣講堂，逐漸在知識界尋求發展，與原任

5　黃乃裳：《紱丞七十自敘》，引自程光裕：《常溪集》，臺北，中國文化大學出版部
　　1996年版，第1980-1981頁。
6　馮自由：《革命逸史》初集，第31頁。

《天南新報》通訊員的黃世仲、黃伯耀、康蔭田等人頻繁交往，促使他們轉向革命。後來黃世仲擔任香港《中國日報》駐星特派員，黃伯耀等則轉到革命派的《圖南日報》工作。

尤列到新加坡的同一年，當地一批由保皇轉向革命的年輕華僑商人成立了一個名叫小桃園俱樂部的組織，其中堅人物包括陳楚楠、張永福、林受之、林義順、許雪秋、陳芸生、沈聯芳等。他們原來大都是維新派的擁護者，義和團事件後，對以慈禧太后為首的清政府的腐敗統治感到絕望，進而對保皇會的政治信仰幻滅。而漢口自立軍起義失敗的原因之一，風傳是康有為將海外華僑的部分捐款據為己有，致使起義軍得不到餉械接濟，不得不推遲發動時間，打亂了行動部署和計劃。

新加坡維新派領袖邱菽園為保皇會的勤王運動捐款達25萬元之巨，失敗的結局令他大失所望。後來更因處理澳洲華僑的捐款事與康有為發生激烈衝突，憤而斷交，在《天南新報》公開聲明與保皇會脫離一切關係。[7]這對陳楚楠、張永福等人影響很大。加上1901年以

7　1900年11月26日康有為函告邱菽園：「此間來言甚多，在總抗者公聽而慎察之耳。……每念公之毀家，各埠義士之捐資，一絲一粟皆由血汗，若大事不成，何以見天下？何以見聖主？而後餉不繼，隱憂兢兢，近者切戒。港澳無所不至，故與任密籌，已防後事，須蓄大款。今儀侃自港來書，亦議請雪梨款盡以寄公，免港澳為眾人所分牽，管數者難於破除情面，則大款難蓄，而為零支所累，因以誤事，已決計如此。經貽書與任，及復書與侃。特以公近來甚困，忽以告公，慮公以為一埤相遺，故不敢先告。今公慨然任糧臺之事，僕既得就近支撥商量可否，此僕所欲請而未敢者。」（杜邁之、劉泱泱、李龍如輯：《自立會史料集》，第333頁）1901年6月3日梁啟超致函康有為：「初，款之匯星也，乃因星電來言，彼時漢獄之焰，方波及於粵。弟子竊疑港、澳局皆站不住，有大變動，又以為島之此電，必曾與師商者，故得電後即照辦（因弟子在星、檳時，見島極殷勤，必不疑其遽決裂），而豈料其如是哉。……計匯島處，一次係美利伴款七百鎊，一次係雪梨款一千鎊，其西粵款度三百鎊左右，計二千鎊。」（丁文江、趙豐田編：《梁啟超年譜長編》，第261頁）邱菽園登報事有應付清政府的一面，與保皇會關係惡化，也是事實。

後，國內和海外的革命書刊如雨後春筍，新加坡華僑容易接觸到這些宣傳品，倍受感染啟發。1903年鄒容、章炳麟在上海因《蘇報》案被捕入獄，陳楚楠、張永福等以小桃園俱樂部的名義致電英國駐滬領事，要求其主持正義，給予鄒、章二人以人身保護，不要引渡給清政府。後來又集資翻印《革命軍》5千部，改名《圖存篇》，四處散發。尤列到新加坡後，經黃伯耀介紹，與陳楚楠等人面談訂交，合力籌辦東南亞華人社會的第一家革命報紙。1904年初，館址位於福建街21號的《圖南日報》正式出版發行，尤列以「吳興季子」的筆名撰寫了發刊詞，南洋華人社會的革命活動由秘密走向公開。

《圖南日報》由陳楚楠任總理，聘請《中國日報》記者陳詩仲為主筆，面向全體南洋華人，極力主張種族革命，鞭撻清廷腐朽暴政，相繼與興中會在香港、檀香山、三藩市等地的報刊建立聯繫。在與英國殖民當局的壓制和各種反對勢力進行了堅決鬥爭後，該報銷路逐漸穩定，影響日益擴大。1904年冬，該報印刷了一種宣傳排滿革命，鼓吹獨立自由的月份牌，分贈華僑，一時間英、荷兩屬各埠華僑工界團體會所到處懸掛。在美洲的孫中山見到《圖南日報》致《檀山新報》要求交換報紙的來信，十分高興，致函尤列，詢問詳情，希望建立通信聯繫，由是得知陳楚楠等人的姓名情況，又瞭解到擔任《圖南日報》主筆者正是他原來推薦為《檀山新報》主筆的陳詩仲，更加滿意。1905年，與孫中山關係密切的秦力山經新加坡赴緬甸，《中國日報》記者黃世中介紹他與陳楚楠、張永福等相見，因秦力山生病，不果，[8]後來雙方互通信函。除在南洋開展活動外，新加坡革命人士還

8　1905年7月23日《致陳楚楠函》，彭國興、劉晴波編：《秦力山集》，第181頁。函謂：「今春道過星洲，在港起程時，世仲再三言公見義勇為，囑必奉訪，並致書乃兄伯耀介紹。不料抵星後，驟因病發，滯仁濟月餘，從未嘗出門；又因言語不通，公邸復遠，俟病瘥後，匆匆下船，但以一書交郵道歉，想已達覽矣。」與春間另一

派林受之、黃乃裳、許雪秋等利用歸國之機，在廣東的潮州、嘉應，福建的漳州、泉州散發《圖存篇》，組織反清團體，聯合會黨，密謀起義。

1905年6月，孫中山準備由歐洲東歸日本，組建革命大團體，他對革命活動聲勢日盛的新加坡給予格外的重視，臨行致函秦力山，約期一見。船到可倫坡，又致電尤列，希望他屆時率領新加坡同志登船相見。7月初，孫中山抵達新加坡，尤列偕陳楚楠、張永福、林義順上船會見。經過交涉，新加坡警廳破例允許孫中山在5年禁期內登岸，到小桃園俱樂部聚餐，飯後又到張永福的別墅晚晴園合影留念。交談中，陳、張等人報告了新加坡方面的宣傳和組織工作，以及許雪秋、黃乃裳等在廣東、福建組織起義，開展宣傳的情況。孫中山見他們能從文字和實際兩方面著手，不勝喜慰，但認為以集中力量組織大團體，作大規模運動為宜，介紹了歐、美、日等地留學生紛紛轉向革命的可喜形勢，鼓勵眾人堅持不懈地繼續努力。接著又表示到日本成立革命黨總部後，要在南洋各埠設立分會，囑咐陳楚楠等人尋找一位通曉各種方言，熟悉情況的人予以說明，以便再來時開展活動。會見後孫中山拜訪了同窗舊友吳傑模。經過這次接觸，陳楚楠等人對孫中山瞭解加深，更傾心於接受其領導，革命信念更趨堅定。

星洲會見使孫中山也受到鼓舞，途經西貢時他致函陳楚楠，再次表示待方針確定後將到南洋「召集同志，合成大團，以圖早日發動」[9]。到東京後，孫中山受到留日學界的熱烈歡迎，組織工作順利進行。8月20日，中國同盟會正式成立，一個月後會員發展到400人，

函意思有所不同。後者謂：「微聞內地志士南來，志在運動者不鮮，以是多擾及公，弟以旨趣略殊，恐人一見而以為挾有同等之目的來也。故不復再來見公，公可諒鄙苦衷，毋以鄙為倨傲，則幸矣。」前引書，第99頁。

9　《孫中山全集》第1卷，第275頁。

除甘肅外，各省均有留學生參加。9月底，孫中山又致函陳楚楠，報告喜訊，請他擔任即將出版的同盟會機關報《民報》的星洲代理人，希望新加坡同志協助代辦發行債券籌款事宜，與東京留學界保持密切聯繫。陳楚楠等接信後，一面加緊在華僑青年中活動，一面於是年秋創辦《南洋總匯報》，以接續因資本不足於春季關閉的《圖南日報》，加強宣傳。張永福徵得母親的同意，重新布置晚晴園，為孫中山的再度來遊及設立革命機關做準備。

三 建立同盟分會

1906年春，英國殖民當局的5年禁期屆滿，孫中山來到新加坡，在晚晴園先與張永福、陳楚楠、李竹癡等商議妥當，制定好盟書，4月6日，召集當地革命骨幹分子15人開會，成立同盟會分會。出席者除上述3人外，還有鄧子瑜、林義順、尤列、黃耀庭、林鏡秋、許子麟、蕭百川、劉鴻石，吳業琛、何心田、林航葦、蔣玉田，由孫中山親自主持盟誓。為了堅定華僑的信念，孫中山也寫下盟書，交陳楚楠保管。接著孫中山又詳細講解誓言的意旨，授以會員見面的暗號和暗語，並且說，同盟會要大發展，入會者要有犧牲精神，即使剩下一個人，也要堅持到底。儀式後，選舉陳楚楠為會長，張永福為副會長，許子麟為會計，林義順為交際。不久，因陸續加盟者不斷增多，孫中山覆命召開一次大會，攝影留念。[10]孫中山在新加坡期間，時常在晚

---

10 關於此行孫中山到新加坡及組建同盟會分會的時間、參加人數等，各種記載歧誤頗多。1905年冬，孫中山從越南西貢前往法國，次年3月4日由馬賽東返，馮自由自香港函告陳楚楠等人準備接待會商（《革命逸史》第6集，第171頁）。孫中山赴法國途中是否經過新加坡並與當地人士有過接觸，不得其詳。馮自由《革命逸史》、《華僑革命開國史》均記新加坡同盟會分會成立於乙巳（1905年）冬，首次加盟者12人；陳楚楠《晚晴園與中國革命史略》（丘權政、杜春和選編：《辛亥革命史料選輯》續

晴園向華僑講述中國貧弱的狀況，比較西方各國的政治與社會情形，不厭其詳地解答各種提問。新加坡革命黨人則將福州、潮州同志活動的情況一一報告，由孫中山分別給予指示，提出約期起義的計劃。

新加坡同盟會分會的成立，使南洋革命黨的活動中心由河內轉移到新加坡。鑒於英國海峽殖民地對華人的政策較為寬鬆，革命黨人積極準備在馬來半島各埠設立分會。孫中山因事返回日本兩個月，6月間率胡漢民等人再度來到新加坡，依舊在晚晴園下榻。他先命胡漢民為新加坡同盟會分會起草章程，開會通過後，進一步推動了組織發展，福建、潮州、廣府、客籍、瓊州等社區華僑紛紛入會。孫中山隨即提議重新選舉職員，改選的結果，張永福任正會長，陳楚楠任副會長兼財務，林義順為外交，謝心準、李曉生為文牘。新加坡分會得到鞏固和發展後，孫中山帶領李竹癡、陳楚楠、林義順等到吉隆玻創設同盟會分會，並派人前往檳榔嶼組建同盟會分會。

在此期間，黃乃裳、許雪秋、陳芸生、蕭竹漪等人先後由閩粵回到新加坡，向孫中山報告在兩地運動的成績。黃乃裳力主在閩粵邊區發動起義，然後與滇、桂義師互相策應。孫中山同意在閩粵兩省交界的黃岡舉事的計劃，催促他們加緊進行，還電囑東京同盟會本部派人予以協助。不久，孫中山留下密碼暗約以及通信方法、地點等，偕胡漢民等返回日本。此後孫中山一直十分關注新加坡的情況，多次致函張永福等人，詢問會務發展情形。他還將東京印製的《革命軍》樣本

編，長沙，湖南人民出版社1983年版）記為1905年底，首盟者3人；張永福《南洋與創立民國》則記為1905年舊曆七月中旬，首盟者3人。但據《中國同盟會成立初期（乙巳、丙午兩年）之會員名冊》（丘權政、杜春和選編：《辛亥革命史料選輯》上冊），在新加坡入會最早者為謝己原，署期丙午三月初九日，即4月2日，而各骨幹如黃耀庭、鄧子瑜、尤列、李竹癡、陳楚楠、林錦秋、許子麟、蕭百川、劉鴻石、蔣玉田、林義順、張永福、吳業琛、何心田、林航葦等，均繫三月十三日即4月6日入會。

寄給新加坡同志，希望他們集資速印，分派各處，勉勵其多用工夫，不避勞苦，從事宣傳和組織工作，開通風氣，普及革命風潮。

四　革命大本營

　　1907年3月，日本政府應清政府的請求驅逐孫中山出境，孫中山轉赴越南，途中在新加坡逗留數日，協助當地同盟會籌辦《中興日報》，為該報確定革命宗旨。新加坡革命黨人原來辦的《南洋總匯報》，出版不久就落入保皇會之手，改名為《南洋總匯新報》，鼓吹維新，反對革命。同盟會成立後，孫中山在富商階層中的籌款活動遇到挫折，[11]他認為南洋華僑支持革命運動的中堅力量蘊藏於中下層社會之中，而後者很少受過教育，因此，革命黨人的主要任務之一，就是傳播革命思想，發動中下層社會。根據這一需求，張永福、陳楚楠等決定重新創辦一家報紙。經過多方努力，《中興日報》於1907年8月20日正式出版。胡漢民在為該報撰寫的發刊詞中，明確指出辦報宗旨在開發民智，使數百萬華僑滋生愛種愛國思想。孫中山開始對報名「中興」不以為然，經胡漢民解釋為將「興中會的名上下倒轉及漢業中興的意思」，才表示贊成。[12]該報一經問世，就受到華僑的熱烈歡迎，創刊號出版之日，群眾在報館門口列隊等候，以先睹為快。《中興日報》後來成為南洋革命黨人反對保皇會和宣傳革命的主要陣地，許多著名革命黨人如田桐、胡漢民、汪精衛、陶成章、居正等相繼擔任編

---

11 新加坡廣幫的七大商翁，即對革命派深惡痛絕。參見黃建淳：《晚清新馬華僑對國家認同之研究──以賑捐投資封爵為例》，臺北，海外華人研究學會1993年版，第250頁。

12 張永福：《南洋與創立民國》，中國社會科學院近代史研究所近代史資料編輯組編：《華僑與辛亥革命》，第109-110頁。

輯撰述。該報的經營業務,則由新加坡同志林義順、羅仲霍、蕭百川負責。

孫中山到越南後,在河內設立了領導粵、桂、滇武裝起義的總機關。他利用新加坡同志在福州、潮州等地長期工作的基礎,準備在潮、惠、欽、廉四府同時發動,任命許雪秋為東軍都督,到潮州組織起義,派鄧子瑜到惠州籌備策應。許雪秋等人多次與主持香港聯絡機關的胡漢民商議,又不斷得到孫中山的秘密指示,準備工作進展順利。留在新加坡的同志每10天集會一次,踴躍捐獻,籌款數萬元,供應潮州方面的活動經費。後因潮州清軍到饒平黃岡搜捕革命黨,黨人倉促起事,佔領黃岡,在清軍大舉進攻下,堅持戰鬥數日。孫中山原計劃運送軍火以為接濟,無奈事起突然,來不及展開行動,起義便告失敗。

事後,孫中山一面設法妥善處理善後事宜,營救被捕同志,一面致函張永福等人,請他們在新加坡竭力籌款,並函請林文慶出面,力任其事,提倡商人以助軍費。[13]他號召僑胞無論會內會外,皆當盡力履行國民義務,支持許雪秋、鄧子瑜等在潮州、惠州伺機再舉,自己則負責採購軍火,與許雪秋約定,一旦起義發動,立即撥給新式快槍數千支,子彈一百數十萬發前往接濟。10月,許雪秋聯絡廣東海豐會黨,準備在縣屬汕尾發動起義。孫中山按照約定派萱野長知將在日本所購大批軍火用日輪「幸運丸」運往汕尾。但船到汕尾海面時,卻無人接應,等候一夜,次日被清軍巡艦發現,未及卸貨,即撤往臺灣。[14]起義因而流產,大批黨人退回新加坡。

---

13 1907年10月15日《復張永福等函》,《孫中山全集》第1卷,第348頁。

14 馮自由:《革命逸史》第4集,第180-182頁。參見崎村義郎著,久保田文次編:《萱野長知研究》,日本,高知市民圖書館1996年版,第69-73頁。惟該書將陰曆記年定為西曆。

　　孫中山領導的革命黨在西南邊境連續發動起義，引起清政府和法國殖民當局的嚴重不安。1908年3月，法國印度支那殖民當局應清政府的要求，驅逐孫中山出境。於是孫中山由河內移駐新加坡，住在東陵烏節律111號。此後一年多，他以新加坡為大本營，帶領同志展開了組織、宣傳、軍事、籌款等一系列重要活動。

　　首先，加強和改善南洋同盟會的組織領導。孫中山以新加坡為基地，曾先後親赴暹羅、吉隆玻、檳榔嶼、怡保等地，或創設同盟會分會，或整頓原有組織，更換領導成員，改變了一些地方團體的散漫狀況，以利於發展擴充，又派人到緬甸仰光建立同盟會分會。1908年秋，孫中山鑒於南洋英、荷屬各埠紛紛成立同盟會分會及通訊處，為統一領導起見，在新加坡設立同盟會南洋支部，任命胡漢民為支部長，另行制訂中國同盟會分會總章16條及通信辦法3條，傳令各下屬組織遵照執行。其通信辦法規定各地團體至少每兩個月互相通信一次，如變換地址或新設團體，要通知南洋支部，以增強各地同盟會組織的聯繫和團結。同盟會分會總章根據南洋華僑社會的實際情況，特仿照軍隊編製法組織會眾，以8人為一排，3排為一列，4列為一隊，4隊為一營。[15]孫中山強調指出，只有這樣做，才能使會員感情密切，團體長久堅固，指揮靈活，行動方便。這時同盟會本部的主要領導人有不少隨孫中山來到南洋，如黃興、胡漢民、汪精衛等，留守東京的機構又因光復會鬧分裂及部分領導人不滿於孫中山的某些做法呈現渙散狀態，同盟會乃至於整個中國革命運動的領導核心，事實上已經轉移到新加坡，這也正是孫中山急於加強和改善以新加坡為中心的南洋同盟會組織的主要原因。

　　其次，以《中興日報》為基地，繼續展開對保皇派的全面論戰。

---

15 馮自由：《革命逸史》第6集，第177頁。

1907年8月，《新民叢報》因故停刊，《民報》由章太炎接手後，主要
精力轉向排滿宣傳，後來更被日本政府羅織罪名，下令封禁，東京革
命派與保皇派的論戰暫時告一段落。但兩派的分歧依然存在，鬥爭仍
然繼續，只是論戰的主戰場轉移到了新加坡。孫中山南來星洲，引起
保皇派的嚴重不安，《南洋總匯報》發表文章，詆毀孫中山為「盜」，
後因孫中山準備訴諸法律，才託人道歉。這使得孫中山不能不重視對
保皇派影響的清理和批判。論戰雙方各以《中興日報》和《南洋總匯
報》為主陣地，針鋒相對地展開激烈論戰。

　　孫中山親自領導了這一鬥爭，他提出以攻心為先，以至理服人為
上策的方針，口授胡漢民等編印有關立憲和外交問題的小冊子，廣為
散發，力闢保皇謬說，又以「南洋小學生」的筆名，在《中興日報》
連續發表《平實開口便錯》、《論懼革命召瓜分者乃不識時務者也》、
《平實尚不肯認錯》等3篇文章，駁斥保皇派宣稱中國革命會招致瓜
分的言論，以土耳其和摩洛哥為例，闡明革命不但不會招致瓜分，而
且瓜分問題將由革命得到解決；駁斥《南洋總匯報》記者平實將滿人
侵奪解釋為「天命之自然」之說，認為進化有天然、人事之別，人事
應從歷史的進化來理解；批判平實以天命反對革命，強調人事與天
工、時勢與自然不能混為一談，歷史上的革命均由人事造成，而不是
什麼天數，要以人事補天工，以人事奪天工。[16]只要革命者挺身而
出，喚起同胞，就能造成革命時勢。黃興、胡漢民、汪精衛、田桐、
林時爽等人也紛紛撰文，參加論戰。後來《中興日報》因股本較少，
銷量越大，周轉越不靈，孫中山與林義順商議，以有限股份公司名義
重新組織，派人到各地向華僑招股，使該報得以繼續維持。

16 《孫中山全集》第1卷，第380-389頁。編者將《平實尚不肯認錯》誤置於《平實開
　口便錯》之前。參見陳錫祺主編：《孫中山年譜長編》上冊，第436頁。

　　同盟會還十分注重書籍的出版發行，《中興日報》和張永福經營的陳源棧，是當時新加坡革命書刊的銷售中心，所有在東京、上海出版的反清書刊，很快就能在新加坡流傳，然後由這裡的同盟會分會分配到東南亞各地，同時在《中興日報》上刊登廣告，以助推廣。《革命軍》、《猛回頭》、《警世鐘》、《洪秀全演義》、《徐錫麟》、《馬福益》、《革命烈士馮君》等反清革命傾向鮮明強烈的書籍流傳最廣，影響最大。

　　鑒於報刊書籍只適合於有能力閱讀而且有購買力的人士，而新加坡華僑識字率較低，又乏財力，革命黨人組織書報社，作為向勞動民眾傳播革命思想的有效方式。早在1905年孫中山到新加坡時，瞭解到陳楚楠、張永福等人對原有星洲書報社進行滲透的情形，就要求他們注意在社內吸收新同志。後來創辦該社的基督教華人牧師鄭聘廷加入同盟會分會，在他的影響下，許多華人基督徒也加入了同盟會。海外革命運動的中心由日本轉到東南亞後，孫中山特別囑咐黨人加緊致力於書報社的建設。1907至1911年，新加坡革命黨人相繼設立了開明、中華、公益、同德、同文等5家書報社，每社擁有成員數百人。為了加強聯繫，培養群體意識，孫中山建議按地緣族群區劃將社員分別組織，每幫選出一位聯絡員，與同盟會分會聯繫，各幫內部以10人為一隊，互選一名通訊員，負責溝通書報社與社員的意見。[17]這樣一來，社員、書報社、同盟會分會之間結成穩固的聯繫，擴大了革命派的社會基礎，也增強了組織的功能。許多書報社還以公開閱法的名義分擔同盟會分會的工作。

　　遵照孫中山的指示，革命黨人經常利用《中興日報》社和各書報

---

17 胡漢民：《分幫之原因》，見張永福：《南洋與創立民國》，中國社會科學院近代史研究所近代史資料編輯組編：《華僑與辛亥革命》，第120-121頁。

社舉行大規模群眾集會，發表演講，宣傳民族革命，聽講的華僑有時達數千人。激動人心的精彩演說不時引起熱烈的掌聲。演戲也是向下層群眾宣傳革命的良好形式。1908年，香港振天聲劇團以救濟華南各省水災災民的名義來星洲演出，孫中山對該團成員的革命熱忱予以鼓勵，允許所有未參加同盟會的團員一體加入。在他的支持下，演出很快與新加坡革命運動合流，推動了南洋革命戲劇運動的開展。在邀請振天聲劇團來訪的新加坡禁煙協會演出工作委員會的57位委員中，革命黨占27人，他們從觀摩中學會了演戲技巧，親身體驗到以戲劇形式宣傳革命在群眾中產生的巨大反響。1909年，曾參與接待振天聲劇團的林航葦、王邦傑、鄭聘廷等先後組織了泛愛班和民鐸社，在新加坡、馬來亞、荷屬東印度等地演出，場場爆滿。革命黨人還加強對學校的滲透，啟發學生的反清革命意識。[18]針對華僑子弟不識中文者尚多的情形，孫中山命鄭提摩太創辦羅馬文馬來音的日報，親定中文報名為《陽明日報》，開導僑生的愛國熱情。[19]

再次，積極籌款，策劃和領導武裝起義。孫中山在新加坡期間，先後指示黃興、黃明堂、王和順等人發動了欽廉起義和雲南河口起義，他一面主持制定軍政大計，一面多方設法籌措資金，支持軍事行動。起義失敗後，逃到越南的餘部被法國殖民當局解除武裝，還一度加以拘禁，準備遣返中國，交給清政府處置。孫中山多次致電越南東京法國殖民當局進行交涉，又直接電達西貢總督，證明所拘華人均為中國革命軍戰士，是政治犯而非刑事犯，要求准許他們前往新加坡尋求政治庇護；還親自帶林義順往見海峽殖民地總督，說服他接納大批

---

18 參見顏清湟著，李恩涵譯：《星馬華人與辛亥革命》，臺北聯經出版事業公司1982年版。

19 張永福：《南洋與創立民國》，中國社會科學院近代史研究所近代史資料編輯組編：《華僑與辛亥革命》，第112頁。

被解來的起義將士。為了妥善安置陸續到達的數百名流亡者，幾十位新加坡同志日夜奔走，或以產業擔保，或供應食宿，或安排就業。孫中山還命林義順等集資開辦中興石山公司，集中安置到星的起義人員。由於英國殖民當局對華人政策較寬，其它幾次起義的餘眾也有不少輾轉逃到新加坡，孫中山和新加坡同志都設法接濟安置。

西南各地的起義雖然失敗，孫中山並不氣餒，他總結經驗教訓，調整方略，部分接受胡漢民的意見，提出今後組織工作要以會黨和新軍雙管齊下，同時激勵鼓舞黨人的士氣，繼續籌款，準備再舉。1908年底。光緒和西太后相繼死去，內地各省人心浮動，各處同志，爭欲舉事，紛紛派專員來新加坡聽候進止。孫中山認為時機雖好，可惜財力不濟，以半年後發動為宜，因而指揮部下，加緊各種準備工作。

孫中山與新加坡同志朝夕相處，其風格、品德、精神對周圍的人產生了積極的影響。他堅毅果敢，勝不露喜，敗不含戚，雖然屢遭挫折，卻從不灰心失望。雲南河口之役，軍情緊急，而餉糈困迫，新加坡大本營中不少人相與愁歎，默然失歡，孫中山則一面竭力應付，一面從容讀書，勉勵同志，令身處逆境的同人倍受鼓舞。面對複雜局面，孫中山顯示了政治家的機智靈活。1906年到星洲時，殖民地政府派便衣暗探在住宅附近巡邏，名為保護，實則暗中監視，造成諸多不便。孫中山將華人巡長請來，加給酒資，請他傳遞有關當地政府和保皇會動向的信息，結果，負責監控的巡長反而成了革命黨人的情報員。

孫中山作風樸實，對同志懷有深厚感情，一位流亡新加坡的起義戰士去世，他親自主持悼念儀式，帶頭鞠躬行禮，步行送葬。不久，新加坡同志吳應培之父出殯，他率全體黨人步行執紼10餘里，躬行投石禮。據說原來新加坡華僑習慣，富家出喪，皆乘車送行，自此則多以步送為敬。孫中山酷愛讀書、整潔的生活習慣，對世界情勢的熟悉以及對中國民族文化的熱愛，也使華僑深受感染。他以廣州蛋家講求

潔淨為外國人所不及為例，告誡同志不要舍近求遠，看不到自己民族
的長處，進而指出，只要能擇己之長，去己之短，發揚光大，中國人
社會就能不斷進化發展。華僑同志聞其言豁然覺悟，皆為折服。孫中
山的人品事業，甚至令一些清政府外交官敬佩。駐新加坡副領事楊圻
的寓所與孫中山毗鄰，一次，兩廣總督派人來星洲行刺孫中山，住在
楊家。楊知道清朝統治難以持久，一面暗中通知孫中山，一面向刺客
曉以大義，說以利害，使其放棄了行刺企圖[20]。

五 擁護共和

1909年5月，孫中山為瞭解決日益緊迫的財政、外交兩大問題，
由新加坡啟程前往歐洲，試圖爭取歐美商人的大宗貸款，促使美國華
僑成為革命黨的穩固財源，設法運動歐洲各國政府改變其在東南亞各
地敵視中國革命的立場，以緩解革命黨人面臨的困境。然而，歐洲之
行的目的未能實現，開闢美洲財源的努力只獲得部分成功。1910年7
月孫中山重返新加坡時，發現形勢起了重大變化。革命黨在西南邊境
屢起屢敗，令南洋華僑感到沮喪，1910年2月廣州新軍起義失敗，進
一步使新加坡同盟會會員的情緒低落。更有甚者，1907年底，對孫中
山的行動策略持有異議的同盟會骨幹陶成章由東京來星洲，想從孫中
山那裡領取3千元作為《民報》的經費，並請孫中山介紹其在東南亞
華僑中募捐，以為浙江發動起義之用。孫中山堅持華南首義的方針，
不同意陶的要求。陶成章憤而周遊南洋各地，散發反對孫中山的傳
單，組織光復會分會。新加坡同盟會對此保持沉默，只有《中興日
報》旗幟鮮明地反對分裂。

---

20 陳楚楠：《晚晴園與中國革命史略》，丘權政、杜春和選編：《辛亥革命史料選輯》
   續編，第39頁。

　　陶成章的言行令革命黨的形象受損，暴露和加劇了內部矛盾和危機，導致東南亞同盟會人心渙散，曾經作為革命活動中樞的新加坡同盟會更加陷入癱瘓狀態，使華僑大眾對革命事業產生嚴重的疑慮。1909年底，新加坡最大的革命書報社之一的開明演說書報社被迫關閉，東南亞最重要的革命宣傳機關《中興日報》也於1910年2月停止發行。孫中山認為該報作用重大，一直力圖重振，曾多次致函各地同志予以經濟支持，要求新加坡方面努力整頓業務，聘請高才，主持筆政。該報的停刊無疑使孫中山深受刺激，他試圖按照在美洲組建同盟會的方式改組新加坡同盟會，可是必須向孫中山個人宣誓效忠的做法引起會員的不滿。經過反覆協商，孫中山決定將同盟會南洋支部由新加坡遷往檳榔嶼。從此，東南亞中國革命運動的中心轉到檳城，《中興日報》的地位也被《光華日報》所取代。

　　孫中山雖然離開了新加坡，對這裡的革命組織和活動依然滿懷期望。1910年11月，他召集同盟會重要骨幹在檳榔嶼舉行秘密會議，決定在廣州發動起義。為了籌集款項，他準備親赴新加坡進行活動。後因英國海峽殖民地當局勒令其出境，不得不轉往歐美，臨行前將南洋籌款事宜交付胡漢民經理，請胡漢民代書一函致新加坡同盟會會員，告以數月間起義即將舉行，顛覆滿洲政府在此一舉，希望新加坡同志迅速行動起來，不論是否同盟會會員，都應盡力讚助義師。胡漢民抵新加坡後，在晚晴園召集同盟會會員開會，到會者百餘人。正面臨經營困難的沈聯芳等人慷慨捐款千元，加上其它會員的小額捐款，共籌得4千餘元。

　　黃花岡起義的失敗，給南洋革命黨人的心頭蒙上一層沉重的陰影，而武昌起義爆發的消息，則極大地激發了同盟會員的革命激情和廣大華僑的愛國熱忱。黃乃裳等人聞訊，認為機不可失，星夜乘船歸國，運動響應，並電請新加坡福建商人籌款接濟。福建光復後，黃乃

嘗擔任交通司長，堅決主張北伐，任內多所建樹。國內革命形勢的迅速發展，使新加坡華僑的精神為之一振，革命黨內部分裂的各派重新合作，維新派、保守派和中立派人士也開始向革命靠攏，成千上萬的華僑剪去辮子，焚燒龍旗，踴躍為革命軍捐款。

11月10日，在陳楚楠、張永福、沈聯芳、陳嘉庚、陳子綬、陳先進、何德如等人的讚助下，舉行第二次群眾募捐大會，到會者達1千多人，由廣府、福建、潮州、海南等社區的代表領袖依次發表演說，聽眾隨時自由捐款50元至500元不等，一張孫中山的照片售價可達450元。除當場收到數千元捐款外，還決定成立正式的募捐委員會，以「中國烈士救濟金」的名義，進行更周密的募捐活動。各社區華僑社團還積極支持原籍省份的革命光復，福建人社團在天福宮召開大會，決議成立福建保安捐款委員會，選出20名委員，當場捐款叻幣2萬元，電匯福州光復政府。廣東籍各社團代表也在同濟醫院集會，成立由82名委員組成的廣東省保安救濟籌捐委員會，負責大規模的募捐，支持本省革命軍。其中婦女組還發起挨戶捐款運動，募得叻幣2萬餘元。機工、學生、戲團也紛紛以各種方式籌款。

募捐活動得到普遍支持，表明新加坡廣大華僑由衷地希望中國革命獲得成功，他們拋開顧慮擔憂，充分展示自己對於孫中山領導的共和革命的嚮往和擁護。當地革命黨人利用這種熱情，迅速恢復一度停頓的宣傳工作。武昌起義爆發前夕，就有40多位元革命黨人組織了一個露天演說團，由周獻瑞領導，每周出動5個晚上，到處公開演講，鼓吹革命。起義爆發後，他們分成若干小組，深入勞工的工僚進行宣傳，在下層社會聚居的珍珠坊，每晚有數百勞工環繞聽講。革命黨人盧耀堂、黃吉宸、盧葦航等於1911年10月創辦《南僑日報》，報導中國革命的發展和新加坡等地華僑社會的革命活動，受到普遍歡迎，兩星期後銷量達到2000份。各地劇團也開始公演革命劇碼，他們把「孫

中山始倡革命」這樣的題材編成劇本，搬上舞臺，使革命領袖的人格與風貌深入大眾心中。這些宣傳進一步推動廣大華僑瞭解中國的現狀，關心中國的未來。

在革命黨人的努力和形勢的推動下，新加坡革命派勢力迅速擴大。在此之前，新加坡同盟會共有會員500餘人，加上直接支持者，約有1000餘人。隨著革命形勢的發展，革命派人數激增，1911年11月，風傳革命軍佔領北京，革命派集會慶賀，當場有一萬人剪掉辮子，表示與清政府決絕。孫中山出任南京臨時政府總統後，據中立派人士估計，新加坡直接參與革命運動者達一萬人之眾，另有外國支持者數千人。革命黨周邊組織同德書報社的社員人數也有大幅度增長。一些激進分子還歸國參加革命運動。[21]

孫中山及其領導的革命黨人在新加坡的活動，對華僑社會產生了深遠的影響。在革命派民族主義宣傳的啟發鼓舞下，華僑的愛國精神和民族意識大為增強，這不僅激勵他們參與歷次反帝愛國運動，而且成為他們長期支持祖國進行反抗列強侵略的重要思想支柱。革命黨人的組織發動和建設，則使華僑社會由原來的四分五裂逐漸走向聯合統一，華僑的民族精神和國家意識不斷增長。同時，革命派的民主宣傳促進了華僑社會新觀念新思想的形成和發展，傳統的忠孝及男女有別的觀念逐漸為犧牲精神、愛國、平等、自由等觀念所取代。婦女也開始參與社會活動，女校陸續設立，女性的社會地位逐步提高。

新加坡華僑給予孫中山領導的革命事業以巨大的支持，同盟會第一個東南亞分會建立於此，不僅長期作為東南亞華僑革命運動的中心，而且一度成為整個海外中國革命運動的指揮中樞和組織重心。孫中山本人曾九次到星洲，黃興等同盟會重要領導人也大都來過星洲。

---

21 參見顏清湟著，李恩涵譯：《星馬華人與辛亥革命》。

新加坡又是中國革命流亡志士的匯聚地，保存了革命力量，形成一支
生力軍。1911年廣州黃花岡起義時，香港同盟會機關組織了數百名選
鋒，其中不少是來自新加坡的流亡者。原來擔任同盟會《星洲晨報》
司帳員和收帳員的勞培、周華、以及黃鶴鳴、羅則軍、杜鳳書等人還
親自參加了起義行動，有的為共和國大業英勇捐軀。新加坡革命黨人
鼎力支持了《中興日報》，使之成為東南亞華僑社會革命宣傳的重要
機關，並一度成為同盟會的主要喉舌。為了支持同盟會發動的歷次武
裝起義和其它革命活動，新加坡華僑至少捐獻了數十萬元鉅款，不少
人因此散盡家財，貧苦的下層群眾更不乏毀家捐獻者。武昌起義後，
上海、廣東、福建等省的革命政權得以鞏固，財政上得到新加坡華僑
的大力援助。

　　1911年12月16日，孫中山歸國途徑新加坡，與張永福、林義順、
鄧澤如等人秘密會見，這是他最後一次到星洲。1913年二次革命失敗
後，許多國民黨重要人物逃往新加坡，受到林義順等人的熱情款待。
在反袁、護法鬥爭中，孫中山多次派人到新加坡籌款。1917年，陳楚
楠歸國，在廣州拜見孫中山，孫中山聘請他擔任大元帥府參議。林義
順等人還捐出鉅款，支持1920年粵軍回師廣東驅逐桂系軍閥。儘管在
長期共事中雙方有過分歧甚至衝突，但孫中山「華僑是革命之母」的
評語中，新加坡華僑無疑佔有重要地位。

胡適與孫中山
──從新文化運動到國民革命

　　孫中山是國民革命的領袖，而胡適為新文化運動的要角，儘管孫中山並不在胡適的朋友之列，兩人的關係，卻早為學界所注意。研究孫中山或胡適的個人交往，以及國民黨與五四新文化運動的聯繫的學人，已就有關問題加以論述。[1]仔細閱讀各方面史料，覺得二人對於這一段因緣的史實分別有所隱諱，其中的曲折既反映了各自的政治及文化觀念的差異，同時也折射出新文化運動與國民革命兩大時代潮流之間錯綜複雜的關係。其間圍繞陳炯明事變的爭執，周折複雜，牽涉面廣，專章討論，茲僅就新文化運動、善後會議和國民革命諸問題略加論述。

一　新文化的同路人

　　孫中山既是政治家，也是思想家，留存世間的文字言論不在少數，尤其是1918年以後，他努力於主義的建設與完善，發表了一系列的重要著作和講話。如果將孫中山的理論建設分為兩個時期，那麼後一時期與新文化運動大約同時展開。而這一時期雖然僅為孫中山一生

1　專文有秦家林《孫中山與胡適在新文化運動中的一段交往》，《歷史知識》1986年第6期；南劍《孫中山與胡適》，《中華英烈》1989年第2期。傳記論述較詳者有胡明《胡適傳論》上下卷，北京，人民文學出版社1996年版，第7章之三十九《與國共兩黨的政治衝突》。

致力於國民革命歲月的五分之一，留存的文字言論卻占總數的三分之二。不過，翻閱這些短時期產生的密集文字，感覺之一，似乎以北京為中心的新文化運動對孫中山的理論建設影響甚微，無論在孫中山的理論著作還是演講中，極少提到新文化運動各位旗手驍將的姓名及其風行一時的觀念主張。「暴得大名」的胡適的名字，幾乎從未正面出現在孫中山的筆下，彷彿雙方完全無緣。

其實，正如學人所指出，胡適與國民黨人曾經一度是新文化運動的同道，胡適與孫中山也曾幾度聚首。對此，胡適倒是記得比較真切，在文章中幾次提及首次會見的情形。如1925年9月22日為劉熙關於《愛國運動與求學》的來信附言，說：「民國八年五月初，我去訪中山先生，他的寓室內書架上裝的都是那幾年新出版的西洋書籍。他的朋友都可以證明他的書籍不是擺架子的，是真讀的。」[2]四年後，他在評論孫中山的「行易知難說」時又提到：「次年（1919）五月初，我到上海來接杜威先生；有一天，我同蔣夢麟先生去看中山先生，他說他新近做了一部書，快出版了。他那一天談的話便是概括地敘述他的『行易知難』的哲學。」關於此事，孫中山並無記述，只是在《孫文學說》初版的第四章之末，對此後不久杜威的來訪略作交代：「當此書第一版付梓之夕，適杜威博士至滬，予特以此質證之。」[3]具體討論的內容，陪同杜氏前往的蔣夢麟簡略記載如下：「有一天我和羅志希同杜威先生謁見孫先生談到知難行易問題，杜威對中山先生說：『過重實用，則反不切實用。沒有人在西方相信知是一件容易的事。』」[4]

2　《現代評論》第2卷第42期，1925年9月26日。

3　歐陽哲生編：《胡適文集》5，北京大學出版社1998年版，第589頁。按《孫文學說》初版本未見，《孫中山全集》第6卷《建國方略》係依據1922年上海民智書局再版本，《孫文學說》第4章中已無胡適所說質證於杜威的內容。

4　蔣夢麟：《西潮》，瀋陽，遼寧教育出版社1997年版，第105頁。

此次會見，孫中山對胡適並非沒有印象。相反，如日中天的學術文化旗手胡博士對自己新著的態度與評價，在孫中山看來具有重要意義。1919年6月《孫文學說》出版後，孫中山即讓廖仲愷寄給胡適5本，並請胡適「在《新青年》或《每周評論》上對於此書內容一為批評，蓋以學問之道有待切磋，說理當否，須經學者眼光始能看出也。」[5]這本《孫文學說》的意義，孫中山看得極嚴重，因為他「認為心理建設是其它建設的基礎，不論是政治建設、實業建設或社會建設。」[6]正如他本人在寫於1918年12月30日的《孫文學說·自序》中所說，「知之非艱，行之惟艱」的錯誤思想，是「予生平之最大敵也」。心為「萬事之本源」，凡事成敗，皆取決於心，要建設民國，首先要建設心理，「故先作學說，以破此心理之大敵，而出國人之思想於迷津」。只有如此，《建國方略》才不致再被國人視為理想空談，才能萬眾一心，急起直追，建設民有、民治、民享的新國家。[7]而這一思想能否為國人所接受，新文化運動領袖人物的態度無疑具有相當的代表性。胡適的評價，孫中山一則認作學者的意見，一則視為新文化派的呼應，可以支撐己說，擴大影響，所以希望胡適不僅寫出，而且要在新文化派的代表刊物上發表。

胡適作文是快手（儘管他本人予以否認），他果然不負所託，寫了《〈孫文學說〉之內容及評論》，刊登於1919年7月20日《每周評論》第31號，這時距他收到廖仲愷的來信不過10天。文中胡適明確表態：「對於這書大旨的贊成」，認為「這部書是有正當作用的書，而不可能把它看作僅僅有政黨作用的書。」所以有此說，是因為胡適認為

---

5 1919年7月11日廖仲愷致胡適，中國社會科學院近代史研究所中華民國史組編：《胡適來往書信選》上冊，北京，中華書局1979年版，第64頁。

6 蔣夢麟：《西潮》，第105頁。

7 《孫中山全集》第6卷，第158-159頁。

孫中山是有遠大理想和計劃的真正實行家，而非充斥國內政壇的沒有計劃的政客。依據科學的正確知識確定的切實而遠大的計劃，不限於一黨一系，任何正當的團體都應當奉行，「都應該用合法的手續去消除大家對於那種計劃的懷疑」。孫中山「著書的本意，是實行家破除阻力的正當手續。」

　　孫中山一生，常被人攻擊為空想家，對此，胡適可謂力排眾議，認為「現在的大危險，在於有理想的實行家太少了。現在的更大危險，在於認胡混為實行，認計劃為無用。」推崇孫中山的有計劃和肯實行，是胡適對孫中山評價的一貫觀點，即使在與孫中山以及國民黨關係緊張時也不曾動搖。1925年1月19日，胡適於宴會後與眾人亂談政治，對於大家都不肯想具體計劃，「只會罵孫文」的狀況十分不滿，認為「孫中山總算做過一番計劃的，只可惜他的左右太糊塗了。」

　　1929年4月27日，傅斯年對胡適說：「孫中山有許多很腐敗的思想，比我們陳舊的多了。但他在安身立命處卻完全沒有中國傳統的壞習氣，完全是一個新人物。我們的思想新，信仰新，我們在思想方面完全是西洋化了，但在安身立命之處，我們仍舊是傳統的中國人。」所舉的例子就是「中山肯『幹』，而我們都只會批評人『幹』，此中山之不可及處。」胡適認為「此論甚中肯」。西洋化是否等於新，還須討論，而新思想的信仰者在安身立命處仍舊傳統，在近代中國的確相當普遍，令人懷疑究竟應當如何分別判斷新與舊。孫中山所寫《民權初步》即《會議通則》，許多人以為幼稚無聊，胡適卻刮目相看，即使在與孫中山及國民黨人發生衝突之際，仍然稱為「漢文中最完備的會議規則」。[8]他認為做考銓會議秘書長出身的考選委員長王用賓是舊人中一個很能幹的人才，而王自承「他一生最得力於《會議通則》」，

8　《怎麼可以推翻二讀會的憲法案？》，《努力》第17期，1922年8月27日。

其子從小跟他學習《會議通則》，後來無論讀書還是就職，也總是做領袖。[9]

此外，胡適也公開指出書中有許多不贊成的地方，如第三章論中國「文字有進化而語言轉見退步」，以及第五章關於王陽明的議論。但認為比較是小節，可以不細批評。胡適在復廖仲愷函中，略述批評意見。廖轉呈孫中山，後者稱關於中國文字有進化，而語言轉見退化一層，「不過隨便拾來作襯，非潛深研究之結果，且於文學之途本未考求」，擬請胡適「將關於此層意見詳細開示。其它書中有欠斟酌之處，亦希一併指正，俾於再版時將尊見採入。」[10]不久，孫中山讀到胡適在《每周評論》發表的書評，「以為在北京地方得這種精神上的回應，將來這書在中國若有影響，就是先生（指胡適）的力量。還望先生於書裡不很完全的地方，指示指示，第二版付印的時候可以修正」[11]。同時請廖仲愷轉寄一份計劃書給胡適。

胡適是否就此問題表達了詳細意見，以及孫中山如何看待其意見，沒有資料證明。不過，孫中山雖然的確不大關注文學，所論卻並非隨便拾來作襯。在《孫文學說》中，孫中山實際上是針對新文化派的某些過激言論和主張而提出批評。他認為，以文字實用久遠言，中文遠勝於巴比倫、埃及、希臘、羅馬之死語。以文字傳佈流用言，則當今號稱流佈最廣的英語，使用者也不及中文之半。中國歷史上屢屢同化侵入的異族，文字之功至偉。所以，「雖今日新學之士，間有倡廢中國文字之議，而以作者觀之，則中國文字決不當廢也。」文字所以助人類心性文明之發達，而物質文明與心性文明相輔相成。因此孫

9　此節未標明處均見《胡適日記》（手稿本），臺北，遠流出版事業股份有限公司1990年影印本。

10　1919年7月19日廖仲愷致胡適，《胡適來往書信選》上冊，第64頁。

11　1919年8月2日廖仲愷致胡適，《胡適來往書信選》上冊，第66-67頁。

中山進而指出：

> 「持中國近代之文明以比歐美，在物質方面不逮固甚遠，其在
> 心性方面，雖不如彼者亦多，而能與彼頡頏者正不少，即勝彼
> 者亦間有之。彼於中國文明一概抹殺者，殆未之思耳。且中國
> 人之心性理想無非古人所模鑄，欲圖進步改良，亦須從遠祖之
> 心性理想，究其源流，考其利病，始知補偏救弊之方。……必
> 廢去中國文字，又何由得古代思想而研究之？」[12]

在文字的取捨方面，胡適的主張不算激進，但內心確有一全盤西
化的潛在傾向，至少對鼓吹全盤西化者抱有同情，而對分別物質與心
性的文明觀不以為然。這大概是他萌生意見的出發點，同時也是與孫
中山分歧的根本所在。孫中山在世時，《孫文學說》已屢次再版，有
關內容並未改動，至少可以視為對胡適初步意見的否認。

不過，雙方在這一問題上也並非全無共同語言。居間傳遞的廖仲
愷對胡適意見的看法是，「孫先生所謂中國『文字有進化』，自非實
在，但語言退化卻係事實。唯其如此，所以我輩對於先生鼓吹白話文
學，於文章界興一革命，使思想能借文字之媒介，傳於各級社會，以
為所造福德，較孔孟大且十倍。唯其如此，而後語言有進化而無退
化。」並以近時白話小說、文字，大不如前代小說、語錄，為語言退
化的徵象。按照孫中山在《孫文學說》中表述的觀點，中國語言文字
的弊端在於無文法、文理之學，尤其是依據「今時通用語言」，為
「初學者之津梁」的文法。他呼籲「吾國好學深思之士，廣搜各國最
近文法之書，擇取精義，為一中國文法，以演明今日通用之言語，而

---

12 《孫中山全集》第6卷，第180頁。

改良之也。夫有文法以規正言語，使全國習為普通知識，則由言語以知文法，由文法而進窺古人之文章，則陞堂入室，有如反掌，而言文一致，亦可由此而恢復也。」[13]今天看來，這確是糾正新文化派在語言文字主張方面的偏弊，而落實其文言合一主旨的要徑。所以孫中山認為胡適急宜編撰中文語法書，「以竟文學革命之大業，且以裨益教育」[14]。廖仲愷也表示：「我所最希望的，是先生趕緊把中國白話的語法和修辭法，以規則的系統的方法弄了出來，以應時代的要求。這大事業，非先生是未有別人能幹的。若先生能把這大著作分期在《建設》上發表，就最好未有，否則先就這題目論論，也好。」[15]

以白話文取代文言文，是新文化運動文學形式改革的主要成就。但是，儘管五四運動後白話文的傳播有一日千里之勢，以文言合一為目標的白話文本身確實存在致命的缺陷，其中之一便是如何在模仿古人和洋人之後，找出白話文內在的通行規則，以利於規範化教育。否則，按照新文化運動時期的做法，白話文其實是從文言學會語文者的再創造。在相當長的一段時間裏，基礎教育沒有合適的白話文教材，標榜全民性的白話文仍然只是少數知識階層的工具。加上主張白話文者絕對否定文言的片面，使得文白衝突持續不斷，最終不得不以大眾語的矯枉過正來鞏固已經取得的成果。胡適等人如果能在文法方面有所建樹，至少白話文的發展會更加順利。胡適本來也有心於此，自認為「頗曾研究一點，不久當做一篇文章寄上」。只是因為代理教務長，忙於瑣事，請求許以略遲。[16]廖仲愷再度表示：「先生能夠早日把《國語的文法》做好寄來，不但使《建設》讀者得受許多益處，並且

---

13 《孫中山全集》第6卷，第182-183頁。
14 1919年7月19日廖仲愷致胡適，《胡適來往書信選》上冊，第64-65頁。
15 1919年10月20日廖仲愷致胡適，《胡適來往書信選》上冊，第74頁。
16 1919年11月8日胡適致廖仲愷，見《井田辨》，《建設》雜誌第2卷第1號，1920年2月。

使國語的文學有個規矩準繩，將來教育上也可得無限便利，這是我們同人所最懇切希望的。」[17]可惜胡適的一聲「略遲」，對《建設》來說便是遙遙無期。

後來胡適確實致力於此事，次年8月，他在南京高等師範學校演講白話文法，很可以見到孫中山提示的影子。如胡適稱「想促進一種大同小異的國語，最要的方法，就在統一文法合乎自然的條理。」中國研究文法遠在歐洲之後，《馬氏文通》只可算是古文法，如今白話文漸盛，有必要研究白話文法。這些與孫中山的論點十分吻合。不過，胡適的「曾研究一點」距離寫出像樣的文法書還差得太遠，到真正動起手來，才發現白話文法還在草創時期，其實是講不出來，只好拿出戰無不勝的武器，講放之四海而皆準的研究白話文法的科學方法。[18]

1921年7月至8月，胡適終於在《新青年》第9卷第3、4號發表了《國語文法概論》，全文共三篇，分別講《國語與國語文法》、《國語的進化》和《文法的研究法》，重點仍在論述研究文法的方法而不是文法本身，其精神基本是一年前《白話文法》演講的擴大。不過，第二篇《國語的進化》，卻是針對包括孫中山在內的一些人認為白話是古文的退化的觀念，這其實也就是胡適對《孫文學說》中「文字有進化而言語轉見退步」一說的詳細批評意見。他引了《孫文學說》的相關章節作為主要的批評對象，聲稱白話是古文的進化抑或退化的問題，是國語運動的生死關頭，因為這個問題不解決，國語文與國語文學的價值便不能確定。「如果白話真是古文的退化，我們就該仍舊用古文，不該用這退化的白話。」胡適認為，文學家是一個時代語言進

---

17 1919年12月19日廖仲愷致胡適，《建設》雜誌第2卷第1號，1920年2月。

18 《白話文法》，歐陽哲生編：《胡適文集》12，第3-10頁。

步的產兒而非原動力，其勢力有時還阻礙文字的自由發達，並非如孫中山所說，因為有許多文人終身研究，所以古文不曾退化。他又以應用為標準，論證文言的退化和白話的進化，並總結出白話進化的兩個大方向。胡適與孫中山各說在學理上的正誤另當別論，重要的是，胡適的確指出了新文化派與國民黨人對新文化的一些基本主張的分歧，而且這些分歧顯然並非如前此所說只是小節。

1919年8月底，《每周評論》被當局查封，風傳胡適被捕，有人再四要求孫中山發電報營救胡適和先此被捕的陳獨秀。孫中山沒有答應。但9月上旬會見徐樹錚、段祺瑞的代表許世英時，即對許說：

「獨秀我沒見過，適之身體薄弱點，你們做得好事，很足以使國民相信我反對你們是不錯的證據。但是你們也不敢把來殺死；身體不好的，或許弄出點病來，只是他們這些人，死了一個，就會增加五十、一百。你們盡著做吧！」

許聞言連聲道：「不該，不該，我就打電報去。」幾天後陳獨秀即被釋放。胡適風聞孫中山發電營救，致函沈定一詢問詳情。[19]此事很有些象徵意義，孫中山與胡適的關係，在某種程度上反映了新文化運動與國民革命若即若離的聯繫。孫中山接受了五四新文化運動重宣傳和發動青年的影響，但對於宣傳的內容則堅持其三民主義，而不大贊成新文化的反傳統和世界主義主張，至於解決問題的途徑，仍然以政治為首要，與厭棄時政問題、甚至宣稱20年不問政治的新文化派明顯有別。胡適的政見與孫中山多不一致，但他後來講政治乃至主動呼應國民革命，則與孫中山的影響不無關係。

19 1919年12月16日《沈定一致胡適》，《胡適來往書信選》上冊，第77頁。

二　善後會議

　　1924年末，孫中山北上抵京，不僅與胡適的空間距離縮短，而且兩人有了再度見面的機會，可惜這一次並非為了國事，而是因為孫中山病情垂危，協和醫院束手無策，名中醫陸仲安致函孫中山家屬，「謂西醫稱中山病為不治之症，按中華醫理，肝旁如硬木者，非肝癰即肝疽，有藥可治，並非不救之症。但肝癰肝疽，有陰陽虛實之分，不可混同施治」[20]。隨侍諸人欲薦中醫，擔心從來不信中醫的孫中山拒絕。1920年，陸仲安曾治好胡適所患令西醫束手無策的腎炎，轟動一時，由胡進言，孫或不峻拒，遂推李煜瀛赴天津訪胡。胡適開始覺得責任太重，面有難色，抵京後經汪精衛一番勸說，尤其是提到孫「平時對胡甚客氣，換一生人往說，或可採納」，乃於2月18日偕陸同往。入室進言，「（孫）先生語胡曰：『適之！你知道我是學西醫的人。』胡謂『不妨一試。服藥與否再由先生決定。』」孫夫人也乘機間言，孫中山才勉強同意。[21]此事對孫中山的病情並無妙手回春之效，但從中可見胡適在孫中山面前的地位與份量，以及胡適不避嫌疑的俠義，兩人似已捐棄因陳炯明事變而生的前嫌，修好如初了。

　　不過，胡適後來卻一再矢口否認他被陸仲安治癒過重病之事，[22]其原因除了與自己的西化主張不合，擔心有礙於科學發展外，更重要

20　《孫先生病狀詳載》，上海《民國日報》1925年2月12日。引中醫為孫中山治療，當緣於陸氏此函。

21　羅家倫主編：《國父年譜》，臺北，中央文物供應社1958年版，第738頁。

22　羅爾綱：《胡適瑣記・名醫陸仲安》，《師門五年記・胡適瑣記》，北京，讀書・生活・新知三聯書店1995年版，第103-110頁。此事多有記為患糖尿病，其實胡適疑患糖尿病在1922年底至1923年初，後經診斷，排除是糖尿病。參見《胡適先生到底怎樣？》、《胡適啟事（二則）》，《努力周報》第36期，1923年1月7日。一說陸氏為胡適所治為蛋白質尿和心臟病（《中山先生停服中藥》，上海《民國日報》1925年3月4日）。

的恐怕是不斷有人將此事與孫中山逝世聯繫起來，令胡適擔憂別有用心者藉機陷害。以胡適在臺灣的處境論，採取諸如此類的自保措施也在情理之中。

1922年胡適與國民黨之間由陳炯明事變而起的互相指責，雖因李大釗致胡適的一封來函逐漸平息，矛盾卻依然存在。而且胡適剛剛為被逐出宮的清室出頭辯護，又於2月初參加舉國反對的善後會議，聲譽大為受損，遭到許多進步人士的批評譴責。孫、胡二人能夠冰釋前嫌，別有原因。其中對於善後會議的態度，為一大關鍵。

孫中山北上前發表宣言，「對於時局主張召集國民會議，以謀中國之統一與建設。」國民會議正式舉行之前，應召開預備會議，決定國民會議的基礎條件及召集日期、選舉方法等事。[23]但在進京途中，段祺瑞卻提出召開善後會議來決定國民代表會議組織法及解決各種軍制、財政和時局問題。兩相比較，國民會議預備會與善後會議的最大不同之處在於組織構成，前者由現代實業團體、商會、教育會、大學、各省學生聯合會、工會、農會、共同反對曹、吳各軍及政黨代表組成，後者則由有大勳於國家者、反對曹、吳各軍最高首領、各省、區及蒙、藏、青海之軍民長官、由段祺瑞聘請或派充的有特殊資望與學術經驗者組成，排斥民眾團體，為軍閥官僚所壟斷。按照孫中山的《北上宣言》，國民會議預備會的團體代表由各團體之機關派出，人數宜少，以便迅速召集，而國民會議的組織，其團體代表與預備會議同，只是代表須由各團體直接選舉，人數當較預備會議為多。由預備會議來決定國民會議的組織及日程，其民意基礎當有一定的保障。反之，依據《善後會議條例》，國民會議的組織必然不利於民眾的參與或民意的體現。

---

23 《廣州民國日報》1924年11月13日。

從公開表態看，孫中山開始不贊成善後會議。[24] 1924年12月4日在天津會見段祺瑞的代表許世英時，拒絕簽署有關條例，並請轉達意見。後在包括「現代評論派」在內的一些人士的勸說下，孫中山一度也不反對參加善後會議。1925年1月16日，陳源等人以《現代評論》社名義請汪精衛、吳稚暉等國民黨領袖吃飯，席上力勸國民黨加入善後會議。汪精衛答稱他自己是如此主張，孫中山也有此意。[25]次日，孫中山覆電段祺瑞，批評善後會議許可權太寬，而構成分子皆為政府指派，人民團體無一得與，偏於實力，而忽略民意。但考慮到具體情況，則不堅持預備會議名義，要求善後會議兼納人民團體代表，而將最後決定之權，歸於國民會議。[26]

後來段祺瑞只同意於善後會議所設專門委員會中聘請各省議會議長及教育會、農會、商會會長為專門委員，國民黨因而拒絕參加，並在全國各地發起國民會議促成會，抵制和反對善後會議。而社會上仍有國民黨贊成善後會議的傳聞，1925年2月17日上海《新聞報》的「北京通信」稱：「孫科曾對黨員言，謂奉總理之命，望同志尊重孫、段、張合作之宣言，出席善後會議，以竟全功云云。」這引起陳獨秀等共產黨人的批評。[27]但由此可見，在表面的分歧和反覆下，國

---

24 楊天宏《國民黨與善後會議關係考析》(《近代史研究》2000年第3期) 論述頗詳，惟稱1924年許世英在韶關與孫中山議定先開善後會議，繼開國民會議的程序，尚可斟酌。在國民會議之前必須開一預備會議，以解決事實上的問題，固然在情理之中。名稱卻不一定明確叫善後會議。孫中山北上宣言提出預備會議，或許正是商談的結果。這也可能是他在天津拒不表態的原因。

25 《胡適日記》手稿本，1925年1月17日。

26 廣東省社會科學院歷史研究所、中國社會科學院近代史研究所中華民國史研究室、中山大學歷史系孫中山研究室合編：《孫中山全集》第11卷，北京，中華書局1986年版，第560-562頁。

27 《國民黨究竟應當和誰合作》，任建樹、張統模、吳信忠編：《陳獨秀著作選》第2卷，上海人民出版社1993年版，第848頁。孫中山逝世後，安福系聲稱國民黨中的

民黨對待善後會議的態度與胡適有相當多的溝通共鳴之處。

胡適一生愛惜羽毛，從政卻往往有心立異，這一次他再度不惜身敗名裂，抱著試一試的想法，出席被國人指為「分贓」的善後會議，遭到很多人尤其是青年學生的痛斥，最終不得不中途退出。[28]不過，胡適此舉，絕非投機，針對各方面的批評，他在日記中自解道：「我此次願加入善後會議，一為自己素來主張與此稍接近；二為不願學時髦談國民會議；三為看不過一班人的輕薄論調。」[29]

胡適主張開和平會議，始於1922年6月。開始他提出《我們的政治主張》時，還是要求南北協商召集民六國會。後因討論過程中這一條遭到非議較多，遂轉而尋求其它方式。6月17日，胡適為《努力》趕成《政治與計劃》一篇短評，以符合其前此提出的「有計劃的政治」的主張，其中關於統一的計劃第2項即為和會問題，名為「統一會議」、或「南北和會」、或「聯省會議」，至於具體的組織、產生、許可權等事，未及細論。[30]

7月，胡適的朋友李劍農在《努力》第11至12期連載《民國統一問題》，主張由聯省會議制定聯省憲法。胡適從法理上反對由聯省會議制憲，但「贊成有一個各省全權代表的會議來解決這幾年發生的許多事實上的問題」[31]。不久，黎元洪派往上海的代表也提請早日召開

穩健派可能與之握手提攜，「現在善後會議，國民黨系中除汪兆銘等三人外，皆有列席之狀態。」（《評中山先生死後之各方面》，任建樹、張統模、吳信忠編：《陳獨秀著作選》第2卷，第859頁）關於國民黨內部圍繞善後會議的爭議變化以及部分黨員參與善後會議的詳情，參見楊天宏：《國民黨與善後會議關係考析》，《近代史研究》2000年第3期。

28 白吉庵著：《胡適傳》，北京，人民出版社1993年版，第220-222頁。

29 《胡適日記》手稿本，1925年1月17日。

30 《努力》第7期，1922年6月18日。

31 《這一周》，《努力》第12期，1922年7月23日。是文為胡適口授。

各省代表會議,解決事實問題。胡適認為各省會議與國會兩不相妨,應當從速召開。8月底9月初,得知孫中山與吳佩孚可能聯絡共事,胡適給予二人幾點忠告,其中兩條是「只有公開的各省代表會議可以解決現今的時局。只有公開的會議可以代替那終久必失敗的武力統一」[32],並且諷刺直系軍人通電反對聯省會議的舉動。

9月,曾經簽名主張好政府主義的王寵惠奉命組閣,胡適忍不住擬了一個假定的《解決目前時局的計劃》,以《假使我們做了今日的國務總理》為題,發表於《努力》周刊第20期,其中關於政治的第1項,就是「由北京政府速即召集一個各省會議」,名稱可叫做「全國會議」或「統一會議」,其組織由每省派會員四人(省議會舉一人,省教育會與省商會各舉一人,省政府派一人),中央政府派三人,國會舉三人。其許可權為討論並決定與國會許可權不相衝突的裁兵與軍隊安置、財政、統一、省自治與交通發展計劃等問題。[33]胡適後來雖然謙稱這是一個平庸的提議,卻反覆強調,一再堅持。在《努力》周刊第22期(1922年10月1日)、28期(1922年11月12日)、35期(1922年12月31日)以及75期(1923年10月21日)上,胡適不厭其煩地一再將有關內容逐字逐句反覆陳述,其中包括新年頌詞和《努力》停刊時的全面回顧,也以此為主要或重要內容,強調「在今日的唯一正當而且便利的方法是從速召集一個各省會議,聚各省的全權代表於一堂」,公開討論和決議統一辦法,並且盼望全國輿論界一致督促中央早日進行。

1923年10月,胡適在上海遇見香港的何東爵士,後者近來極力提倡召集和平會議,自曹錕賄選成功後,覺得此事不易成了。[34]胡適稱

---

32 《這一周》,《努力》第18期,1922年9月3日。

33 後收入《胡適文存二集》,改題《一個平庸的提議》。

34 《胡適日記》手稿本,1923年10月14日。

何東是近來鼓吹各省會議的「一支意外的生力軍」,並同意其看法:
曹錕賄選後,「和平會議的夢想也更少實現的希望了」。[35]此後政局變
動不居,胡適的夢想卻一直沒有放棄,當他接受段祺瑞電邀時說:
「我是兩年來主張開和平會議的一個人,至今還相信,會議式的研究
時局解決法總比武裝對打好一點;所以我這回對於善後會議雖然有許
多懷疑之點,卻也願意試他一試。」[36]

　　胡適的各省會議,與其聯省自治主張相適應,這一點與孫中山的
政見不一致。但是,儘管聯省自治與國共兩黨的政治主張皆相牴觸,
卻並非不可調和。因陳炯明事變而起的衝突過去後,國民黨對胡適的
善意變化有所回應。1923年夏季,胡適的好友任鴻雋等人籌備召開科
學社年會,預定的講演委員中,有胡適和汪精衛。後者答應準到,並
且希望見見胡適。1924年11月,任鴻雋致函汪精衛,極力主張聯省
制,要其向不贊成此制的孫中山從容進言。[37]各省會議的組織在民意
基礎方面,與孫中山的國民會議比較接近。至於目的,孫中山在幾次
講話中提出國民會議要打破軍閥,打破列強的侵略,以及解決國內的
民生問題,[38]胡適至多涉及打破軍閥一點。但國民黨正式發表的《最
小綱領之宣言》,關於國民會議之主要任務,「惟在謀國家之統一與重
新建設」[39],與胡適的主張基本一致。可以說,胡適與孫中山在直接
的政治主張方面沒有根本分歧。反之,胡適的一貫主張與段祺瑞的善
後會議規則的精神相去甚遠。

35　《一年半的回顧》,《努力》第75期,1923年10月21日。

36　《胡適致許世英(稿)》,中國社會科學院近代史研究所中華民國史組編:《胡適來
　　往書信集》上冊,北京,中華書局1979年版,第292-293頁。

37　1923年7月22日、1924年11月14日《任鴻雋致胡適》,《胡適來往書信集》上冊,第
　　211-212、273頁。

38　陳錫祺主編:《孫中山年譜長編》下冊,第2069、2075頁。

39　《孫中山全集》第11卷,第516頁。

　　胡適是唯一以學者身份參加善後會議的，曾因陳炯明事變向胡適大張撻伐的國民黨上海《民國日報》對此似乎網開一面，發表評論道：「胡適之是素來主張軍閥的和平會議與好人政府可以解決國事的，現在的善後會議正是胡先生理想中的和平會議，以為這會議可以產生一個胡適之、段祺瑞、江亢虎等的好人政府，來澄清中國的政局。我們且等著，看胡先生參加軍閥會議的第一次嘗試。」[40]不僅如此，國民黨人針對善後會議發起的北京各界國民會議促成會，還聘請胡適擔任國民會議組織法研究委員會委員。

　　對國民黨的政策具有相當影響力的蘇俄人士，如鮑羅廷、加拉罕等，一開始就支持孫中山北上。當孫中山面臨是否參加善後會議的抉擇時，他們又建議國民黨作出肯定的決定，並提出一系列條件，以便把參加善後會議變成宣傳國民黨行動綱領的最好方式。只是在國民黨的反對下才沒有堅持到底。[41]

　　與國民黨實行合作的中共自1923年即提出召開國民會議，[42]該黨一度反對孫中山北上，[43]又反對善後會議，1925年1月10日中共中央發出第24號通告，仍然斥責善後會議，準備發動示威抗議，「國民黨代表及名流如果出席善後會議時，即電請他們主張另行召集人民代表的預備會議。」[44]但或許受俄共的影響，在1925年1月16日的中共第四次

40　《胡適之與江亢虎》，上海《民國日報》1925年2月7日。

41　《鮑羅廷〈關於國民黨〉的書面報告》，中共中央黨史研究室第一研究部譯：《共產國際、聯共（布）與中國革命檔案資料叢書》第1卷《聯共（布）、共產國際與中國國民革命運動（1920-1925）》，北京圖書館出版社1997年版，第566-571頁。鮑羅廷等人對於國民黨參加善後會議的態度，承蔣永敬教授指點。

42　詳參橫山英：《國民革命期における中國共產黨の政治の統合構想》，橫山英、曾田三郎編：《中國の近代化と政治的統合》，廣島市，溪水社1992年版，第24-56頁。

43　關於中共對孫中山北上的態度及其變化，參見劉曼容：《孫中山與中國國民革命》，廣東人民出版社1996年版，第309-319頁。

44　中央檔案館編：《中共中央檔選集（1921-1925）》，北京，中共中央黨校出版社1982年版，第261-262頁。

代表大會上，「反對孫中山參加段祺瑞會議」等等的立場被推翻，「左」派幼稚病和「消極性」似乎已被剷除，代表們贊成（老）中央的決議，「即國民黨應有條件地參加段祺瑞會議，條件是要有所有『主張召開國民會議的團體』的人民代表參加。」[45]

1月19日，中共中央政治局通過《對段祺瑞「善後會議」之決議案》，口徑完全改變，鑒於國民黨到會以及人民沒有自行召集會議與之對抗的可能，主張要求國民會議促成會派代表參加善後會議，反對國民黨的消極抵制，促請其「主張參加，批評善後會議，催開國民會議。」1月22日通過的中共「四大」宣言，呼籲民眾「要求在善後會議中有最大多數之國民代表」。[46]陳獨秀指出，國民黨領袖們既要站在人民方面從會議外消極地反對，更應該積極地參加會議，以打破軍閥官僚包辦，不准人民代表參加的禁令，乘機發表自己的政綱，揭破列強和軍閥的黑幕。[47]「人民若不能努力爭得多數真正人民代表有出席權，聽段政府欽定一個限制真正人民代表的組織法，則將來的價值，也必然不比善後會議高得幾何！」[48]

在此背景下，中共《嚮導》周報第106期發表署名「雙林」的文章「胡適之與善後會議」，為新聞用「帶著些滑稽」的口吻譏諷胡適加入善後會議是「嘗試嘗試」而替胡「抱不平」，「因為他本是個嘗試主義者，他去嘗試，實在無可譏笑。我們要看他試得怎樣，再加批評。再進一步說，單是說他嘗試失敗，說他嘗試的結果不好，也還不

---

45 《瞿秋白給鮑羅廷的信》，中共中央黨史研究室第一研究部譯：《共產國際、聯共（布）與中國革命檔案資料叢書》第1卷《聯共（布）、共產國際與中國國民革命運動（1920-1925）》，第573頁。

46 中央檔案館編：《中共中央檔選集（1921-1925）》，第263-264、320頁。

47 《我們應如何對付善後會議》，任建樹、張統模、吳信忠編：《陳獨秀著作選》第2卷，第834-836頁。

48 《大家應該開始懂得善後會議的價值了！》，《陳獨秀著作選》第2卷，第840頁。

夠，因為，一則我們明知他這次嘗試必然失敗，適之自己也未始不知道；二則嘗試不過是適之的一種政治態度，還不是他政見的本身。所以我們不必斤斤於他嘗試的怎樣，成功還是失敗；我們卻要看他怎樣嘗試，提出怎樣的政見。」

1925年2月1日，善後會議開幕，胡適被推舉為7位議事細則起草員之一。2月中旬，法制院擬定《國民會議組織法大綱草案》共75條，經段祺瑞審閱後交善後會議審議。[49]會員對此陸續提出不少修正案，3月1日，胡適也提出32條的修正案。比較所有的修正案，《晨報》認為，其餘各案「無一可使我們稍覺有批評價值」，唯胡適案為「表現其主張之作，自可引人注意。胡案內容較諸他案，約有七點特色：（一）、國民會議以解決國家根本大計及建立國家根本大法為職權。（二）、國民會議議決之法案，由會議自行宣佈。（三）、男女均有選舉權及被選舉權。（四）、議員之分配以人口為比例。（五）、直接選舉。（六）、以省為選舉區。（七）、各省省議會、省教育會、省商會、省農會、省工會，組織議員候選人推舉委員會。」這「與其謂為政府案之修正案，毋寧謂另一提案，較為妥當」。除最後一條外，其餘幾條《晨報》均大體贊同。[50]

胡適的修正案在報刊上公開發表後，令一些本來對胡適參與善後會議有所不滿的青年感到「卓識偉論，確是吾民的領袖」[51]。胡適的同人陳伯莊明知善後會議必無結果，還是希望胡適拿出超然正當的主張來與國人相見，並且認為這樣才是「我們的惟一出路」[52]。有學者

49　《國民會議組織法提出》，上海《民國日報》1925年2月15日。

50　淵泉：《評胡適修正案》，《晨報》1925年3月5日。該報對第7條的異議為，各團體長期被少數人所佔據，已成當局走狗，不能代表民意。

51　1925年3月15日《金家鳳、毛一鳴致胡適》，《胡適來往書信集》上冊，第315頁。

52　1925年1月26日《陳伯莊致胡適》，《胡適來往書信集》上冊，第308頁。

認為胡適的修正案與國民黨在會外積極籌備之「國民會議促成會」有遙相呼應之意，[53]孫中山及國民黨人不以胡適為敵，當與胡適對善後會議的「超然正當的主張」有關。

中共分析過胡適與善後會議組織者對於「成功」的分歧，善後會議所要的成功，是通過段祺瑞的國民會議組織法，以便將臨時執政扶成正式執政。胡適所要的成功，則是要善後會議通過表現他本人政見的國民會議組織法。而要使目前的善後會議通過胡適的國民會議組織法，除非胡適的政見與安福系完全相同，或者善後會議變成人民的會議。

「從五四運動前後，直到如今，胡適之總算還是社會上公認的民治主義者，要他立刻變成安福系，未免太快些。那麼第一個辦法是不能實現了。因胡適之向來是個民治主義者，或者他在人民的善後會議上公佈的真正民治主義的政見來，可以通得過。照這樣看來，為胡適之想，他若要嘗試提出自己的政見，他還應當多試一試：不但自己應命加入嘗試，而且應當贊成孫中山先生的主張，要求社會團體加入善後會議──這就是第二個辦法。如果真辦到了這一層，亦許胡適之的嘗試會成功，也未可定呵。」[54]

陳獨秀等人雖然不贊成胡適辦《善後日報》（實係傳聞），主張速辦《努力周報》，以表明政治態度，[55]又以聯省自治為「非革命」，還是像一年多前一樣，將胡適視為「真正瞭解近代資產階級思想文化的

---

53 胡明：《胡適傳論》下卷，第621頁。
54 雙林：《胡適之與善後會議》，《嚮導周刊》第106期，1925年3月24日。
55 1925年2月23日汪孟鄒致胡適，《胡適來往書信集》上冊，第314頁。

人」，因此「在掃蕩封建宗法思想的革命戰線上，實有聯合之必
要。」[56]

胡適加入善後會議，本來抱著嘗試的態度，即察看善後會議是否
有作為之可能性。如各方確有誠意解決糾紛，便在會中奮鬥，否則即
行辭職。不久河南戰事發生，2月18日，胡適作《割據》一文，隨即
以此為底稿，於2月24日與馬君武聯名致函善後會議正副議長趙爾巽
和湯漪，要求停止開會，聲明若在戰爭情況下繼續開會，只好不出
席。[57]而執政府一味搪塞，毫無制止方法與誠意，因此他認為善後會
議絕無成功希望，萬難再行列席，遂於3月4日致函段祺瑞辭去會員。
雖經湯漪等一再勸說，胡適堅持不肯。後湯僅請其勿將辭職書宣佈，
致受拆臺之嫌。胡礙於情面，勉強同意，但自辭職書送出後，即絕不
參與會事，「一日所提出之『國民代表會議組織法修正案』，即為胡加
入善後會議最初又為最後之主張也。」[58]不過，胡適仍然做足了法律
程序，3月10日，他爭取到足夠的連署人數，致函議長，正式提出
《國民代表會議組織法修正案》，要求交付印布和審查。[59]

對於胡適嘗試的內容即其政見，中共表示相當失望，作為胡適在
善後會議上的「唯一嘗試」，所提出的國民會議組織法草案表面上
「民治主義極了」，實際上「凡不能解說日用通行之文字不得有選舉

56 《思想革命上的聯合戰線》，任建樹、張統模、吳信忠編：《陳獨秀著作選》第2
　　卷，第517-518頁。

57 白吉庵：《胡適傳》，北京，人民出版社1993年版，第221-222頁；中國第二歷史檔案
　　館編：《中華民國史檔案資料叢刊・善後會議》，北京，檔案出版社1985年版，第59-
　　60頁。馬君武與胡適的聯名函日期不詳，湯漪的覆函寫於2月27日。據胡明《胡適
　　傳論》下卷（北京，人民文學出版社1996年版，第621頁），胡適函草於2月24日。

58 《胡適辭善後會議會員》，《晨報》1925年3月6日。胡適辭去代表身份的具體日期，
　　參見胡明《胡適傳論》下卷，第621頁。

59 中國第二歷史檔案館編：《中華民國史檔案資料叢刊・善後會議》，北京，檔案出版
　　社1985年版，第151-156頁。四位連署人為：馬君武、王伯群、湯漪、褚輔成。

權及被選舉權」一條，可剝奪80%中國公民的選舉權；而推舉候選人
的公團中，沒有律師、醫生、學生、農民（農會是城鄉紳士的團體，
農民協會則為草案上所沒有）的團體；教育會和工會的社會基礎相差
懸殊，推舉額卻均為10人，還要經過推舉委員會的復選，結果工會提
出的選舉人必然難以當選，名為直接選舉，實為間接選舉，況且全國
還沒有一個「省工會」。所以胡適的嘗試主義不徹底，民治主義也不
大高明。至於胡適退出善後會議，理由只是河南打仗，與段祺瑞並不
矛盾。可是，一旦善後會議順利召開，段祺瑞堂而皇之地做了正位執
政，接下來就會一個個結果自己的政敵，首當其衝的便是國民黨，連
胡適本人恐怕也在劫難逃。[60]

三　國民革命

　　孫中山逝世後，胡適對他的讚揚似乎多了一些，儘管前此發生糾
紛時胡適也不抹殺孫的成功之處。他告誡青年學生應注重學識的修
養，才能干預政治，「中山先生所以能至死保留他的領袖資格，正因
為他終身不忘讀書，到老不廢修養。其餘那許多革命偉人，享了盛名
之後便丟了書本子，學識的修養停止了，領袖的資格也就放棄了。」
胡適所說「我們不能期望個個青年學生都做孫中山，但我們期望個個
青年學生努力多做點學問上的修養」，[61]似為多談問題少講主義的舊調
重彈，有故意將青年引向歧途之嫌，但他在許多革命偉人中突出孫中
山，至少可見後者在其心目中的形象和位置。

　　然而，胡適與孫中山的恩恩怨怨沒有因為孫的逝世而終止。隨著

60　雙林：《胡適之與善後會議》，《嚮導周刊》第106期，1925年3月24日。
61　劉熙《愛國運動與求學》來信附言，《現代評論》第42期，1925年9月26日。

北伐戰爭的順利進行，軍事上節節勝利的國民黨人政治上並未顯示出
應有的大度，反而計較起前此胡適提倡好政府主義，公開批評孫中
山，反對沒收清宮，參加善後會議，及其與梁啟超、丁文江等人關係
密切等舊事來，加上北方軍閥疑忌胡適左傾，弄得周遊世界歸來的胡
適有國難回，被迫滯留日本，以觀風向。其間不僅等待國內的朋友疏
通關節，以保障生命安危和言行自主，同時也應對時勢和弟子顧頡剛
好意的提醒，胡適似乎有意識地調整自己的宣傳口徑。顧頡剛認為，
國民革命「確比辛亥革命不同，辛亥革命是上級社會的革命，這一次
是民眾的革命。」而胡適首倡文學革命，提倡思想革命等等功績國民
黨未必記得，與國民革命相左的言行卻常說在口頭，希望胡適不要繼
續發表必然被加以「反革命」罪名的政治主張，而要沿著游俄時主張
我們沒有反對俄化的資格的趨向，先順從民眾講其所服膺的三民主
義。[62]

胡適此行在歐美幾次以《中國的文藝復興》為題發表演講，所講
重點與在國內時頗有不同，到日本後似進一步有所調整。1927年5月5
日，胡適應東京帝國大學辯論部之邀，在該校34號教室再次演講《中
國的文藝復興》，聲稱辛亥革命雖有革命之名，實際結果專制主義依
然延續。自覺的領導者認識到，真正的國民革命必須首先教育全體國
民，著眼於非政治的革命即文藝革命，廢止在現代及未來生活中毫無
意義的古典語言即文言，採用日常語言作為思想感情的表現形式。這
樣的著述家努力普及，結果引起中國文化史上的一大革命，各學校的
教科書均用通俗易懂的日常語書寫，民眾教育開始得到實現，思想家

---

62 1927年2月2日《顧頡剛致胡適》，《胡適來往書信集》上冊，第423頁。胡適在正式
演講中未見使用「三民主義」，沈剛伯則稱其私下談話時多次用到該詞（沈剛伯：
《我所認識到的胡適之先生》，馮愛群編：《胡適之先生紀念集》，臺北，學生出版
社1962年版，第7-8頁）。

努力介紹西洋文化，分析批評中國固有文化，中國的國民精神大為高揚，於是1917年以後再向政治方向發展。不用說大學生的運動，從來沒有訓練、毫無秩序的國民運動，也逐漸發展為訓練有序的政治運動，實現了國民全體的教養。[63]

胡適一生多次演講中國文藝復興，但前後講法有所不同。胡適關注中國文藝復興問題，始於1921至1922年幫助來華瑞士學者王克私（Philipe de Vargas）撰寫《中國文藝復興的幾個問題》的論文。他不同意梁啟超、丁文江等人認為中國文藝復興只限於清代漢學的意見，支持王克私將新文學運動視為文藝復興重要階段的看法。王氏的論文刊登於1922年4月至6月的《新華學報》（The New China Review）。胡適雖然為其提供過素材和意見，但認為其文不佳，1923年4月，自己用英文寫成《中國的文藝復興時代》，主張將中國的文藝復興分為宋學、王學、清學和新文化四期，[64]重點在於文學或文化本身的發展變化。

到1935年，胡適批評人們將中國文藝復興單純視為文學的運動或者語文的簡單化，指出它有「更廣闊的涵義。它包含著給與人們一個活文學，同時創造了新的人生觀。它是對我國的傳統的成見給與重新估價，也包含一種能夠增進和發展各種科學的研究的學術。檢討中國的文化的遺產也是它的一個中心的工夫。」[65]這也就是後來胡適所說的「中國文藝復興的四重意義」，即「研究問題，輸入學理，整理國故，再造文明」[66]，而這實際上是將寫於1919年11月1日的《新思潮的意義》算到對中國文藝復興問題認識的帳上。這雖然符合胡適後來的

---

63 《胡適氏の帝大に於ける講演》，《斯文》第9編第6號，1927年6月。

64 《胡適日記》手稿本，1923年4月3日。參見拙文《胡適與國際漢學界》，《近代史研究》1999年第1期。胡適後來將自己講中國文藝復興與《新潮》相聯繫，傾向雖然一致，過程與內容卻顯然有所不同。

65 《中國文藝復興》，歐陽哲生編：《胡適文集》12，第41頁。

66 唐德剛譯注：《胡適口述自傳》，上海，華東師範大學出版社1993年版，第171-182頁。

認識，卻與起初時限較長而著重於文學和文化的中國文藝復興概念有所距離。

　　胡適注意中國文藝復興與其涉足政治大體同時並且同步，自然會關注文學和文化革新與政治運動的關係。1925年9月胡適在武昌大學演講「新文學運動的意義」，開始將新文學運動說成是「中國民族的運動」。1926至1927年歐美之行，胡適將中國的文藝復興分為文化革命（即新文化運動）和社會政治動盪兩個階段，承認當年宣稱20年不問政治是一個錯誤，同時自稱非政治的文化和知識變革將成為新一輪革命的奠基石。學生受到新文化運動的影響，自發進行愛國運動，顯示了新興政治力量的崛起。這引起各個政黨的注意，紛紛吸收學生參加各種媒體的編輯報導，以吸引學生關注政治生活。最後，國民黨在1924年正式採取登記學生為黨員的政策。從此政黨組織存在於全國各大專院校，在蘇俄和第三國際的影響下，通過國民黨的系統，學生成為具有高度組織的社會機體。這樣一來，中國的文藝復興運動又回到政治一面，在國民黨的領導下，新的政治革命很可能取得成功。這實際上是將國民革命視為新文化運動發展的新階段，胡適甚至公開表態希望國民黨人成功並且歡迎新的政治革命的到來。[67]1927年在東京大學的演說，底本應當與此相通。

　　不過，仔細玩味胡適在英國演講的意思，與後來的認識相比，對

---

67 The Renaissance in China，Journal of Royal Institute of International Affairs, 1926. Vol.5. No.6. pp.265-279。參見羅志田：《走向「政治解決」的「中國文藝復興」──五四前後思想文化運動與政治運動的關係》，《近代史研究》1996年第4期；《胡適與社會主義的合離》，陳平原、王守常、汪暉主編：《學人》第4輯，江蘇文藝出版社1993年版，第7-69頁；《知識分子與革命》，耿雲志編：《胡適評傳》，上海古籍出版社1999年版，第68-115頁。胡適對中國文藝復興認識的系統化，從1920至1930年代逐漸形成，如將中國的文藝復興分為廣義和狹義，是胡適後來的觀點，而非1923年的看法。

國民革命的肯定在措辭上還保持一定的審慎。他說：

> 「運動的新的階段是不同的，新興的國民黨已經採用了高度民
> 主發展的組織，新的軍隊和新的紀律。軍隊成為黨的一部分，
> 而黨是軍隊的指導者、導師、靈魂和頭腦。整個軍隊和黨的組
> 織本身實際上是同一的，至少是緊密聯繫的。軍隊的每個單位
> 均有一位黨代表。同時，全黨或多或少置於軍事的紀律之下。
> 我認為這是非常值得注意和非常重要的事。……我們不知道結
> 果會如何，但是從最近幾個月發生的事情我們可以判斷，運動
> 正在發展，組織良好的軍隊一定能夠戰勝組織鬆懈的舊軍隊。
> 這樣，中國文藝復興運動傾向於回到政治。也許這是必然的。
> 政治極度混亂，令外部世界和年輕的中國難以容忍。也許我們
> 試圖迴避政治是錯誤的，也許新的政治運動終究不像曾經感覺
> 的那樣不成熟。最近的事件似乎顯示出在國民黨領導下一場新
> 的政治革命開始成功的可能性。被辛亥革命弄得鬆散的舊勢力
> 逐漸耗盡了自己的能量，無力抗拒具有組織優勢和政治理想激
> 勵的新興力量。作為不偏不倚和超黨派的自由主義者，我希望
> 他們成功並且歡迎革命的來臨。」[68]

比較而言，雖然演講的內容大抵一致，但胡適在歐美著重於將國
民黨領導的新的革命（當時他尚未使用「國民革命」這一概念）視為
新文化運動發展的必然結果，而在日本則有意將新文化運動說成是國
民革命的思想準備和社會動員。主從秩序的微妙變化，不僅成為最適
合國民黨觀點的表述，也可以視為對顧頡剛建議的回應。

---

68 The Renaissance in China, Journal of Royal Institute of International Affairs, 1926. Vol.5.
No.6. pp.265-279。

到日本之前，胡適在三藩市曾對華人講演《新文化運動的過去及將來》，[69]原文未見，從標題推測，存在與在東京大學的演講一致的可能。胡適歸國後，任白濤來信說：

「你在南京的演講，關於『文學革命』的部分我是完全首肯的。並且希望你今後設法繼續做未完的工作，免得失墜了你的前功！──我覺得現在中國的戰爭，就某點上說，算是白話與文言之戰；換言之，新文化──尤其是新文學──的運動，從筆尖上移到槍尖上了（但一半要靠筆──政治部）。」[70]

這簡直像在給胡適的演講做注腳。羅志田教授認為此函所說胡適在南京演講事，或係任氏筆誤，因為胡適在1928年5月17日的日記說他一年不到南京。[71]不過，胡適出國前並未到南京演講過文學革命，而且任白濤所說內容具體。若是筆誤，則南京應為東京之誤（仍有時間、能否看見報導等問題），否則胡適確有到南京演講之事，而為學人失察。果然，則胡適靠攏國民革命更顯得主動。

誠如學人已經指出，胡適的政治表態並非違心之論或權宜之計，他在旅歐期間已多次公開稱國民黨的北伐是中國政治的一大轉機，要使中國現代化，就必須打倒軍閥割據，讓國民黨完成統一的工作，來實行三民主義的政治不可。並對留學英國的沈剛伯說，他本來反對武力統一和一黨專政，但是革命既已爆發，只有助其早日完成，以減少戰爭，從事建設。目前中國急需一個近代化的政府，國民黨總比北洋軍閥要有現代知識，只要他們真能實行革命救國、統一建設的宗旨，

---

69 耿雲志：《胡適年譜》，中華書局香港分局1986年版，第100頁。

70 1927年5月23日《任白濤致胡適》，《胡適來往書信集》上冊，第432頁。

71 羅志田：《知識分子與革命》，耿雲志編：《胡適評傳》，第111頁。

中國的知識分子應該加以支持。[72]

　　胡適的政治轉向，除了時勢的變化，李大釗仍然起著重要作用。胡適赴歐，原計劃乘船經希臘前往，後接受李大釗的建議，改由陸路經蘇俄。胡適一路看去，感觸良多，對於蘇俄式的專政也能有保留地接受，[73]這大概是胡適能夠改變對學習蘇俄實行集權政治的國民黨看法的重要原因。旅歐期間，胡適一直注意瞭解有關廣州國民黨的各種信息，他對蘇聯顧問鮑羅廷評價極高，認可蔣介石的軍事才能，而且關心其有無眼光識力做政治上的大事業，並希望宋子文等人在鮑羅廷的訓練下能有大長進。[74]

　　回國之後，胡適與國民黨人有所聯繫，後者不無拉攏的意思，胡適也有迎合的意向。1928年胡適在上海光華大學發表紀念五四演講，聲稱國民黨在當時的各政黨中受五四的影響「益覺顯著」，而「就中尤以孫中山先生最能體驗五四運動的真意義」，其表現為吸收少年分子和儘量作思想上的宣傳工夫。[75]可惜胡適對國民黨的希望又一次變為失望，1920年代末，圍繞人權問題，胡適再度與國民黨發生嚴重衝突。這時孫中山雖已過世，作為國民黨的精神領袖，還是被胡適的言鋒掃及。除了批評孫中山晚年放棄約法外，胡適主要是重新估價國民黨與新文化運動的關係以及孫中山的「行易知難說」，而看法則與以前大異。此次胡適與國民黨衝突的過程及其分歧的性質，已經前人詳細討論，[76]本文僅就胡適對有關問題評議的前後差異，力求把握其因

72　沈剛伯：《我所認識到的胡適之先生》，馮愛群編：《胡適之先生紀念集》，第7-8頁。
　　參見胡明：《胡適傳論》下冊，第667頁。

73　《胡適日記》手稿本，1926年10月17日。

74　《胡適日記》手稿本，1926年10月14日。

75　《五四運動紀念》，《胡適文集》12，第728-730頁。

76　詳參楊天石：《胡適和國民黨的一段糾紛》，《中國文化》1991年第4期。此後續有若干學人就此題目撰文，範圍及議論大同小異。

應時勢的隱諱與放大。

　　《知難，行亦不易——孫中山先生的「行易知難說」述評》寫於1929年5月，胡適承認行易知難學說是一種很有力的革命哲學，但指出其存在兩個根本錯誤，其一，把「知」與「行」分得太分明，其二，知固是難，行也不易。由第一個錯誤產生兩大危險，即青年只認行易，不問知難，輕視學問，打倒知識階級，而當權執政者強調服從，鉗制言論出版自由，取消輿論。第二個錯誤則使一班不學無術的軍人政客借「行易」為護身符，阻礙專家政治的實現。這兩個根本錯誤是1919年及此後10年間胡適所不曾指出，而為1927年以後國民黨執政的實際所暴露。至於因此所產生的危險，是「從這些錯誤連帶發生的惡影響」，胡適還能分清楚並非行易知難說的本意。而他認為「行易知難說」的真意義只是要使人「信仰先覺，服從領袖，奉行不悖」，這在此前尤其是陳炯明事變時期主要是從國民黨組織的秘密結社性來看待，沒有聯繫到孫中山本人的思想。可以說，由於胡適既不在國民黨的組織系統之中，又不處於國民黨的政治統治之下，上述分歧，孫中山在世時尚未導致雙方的思想衝突。這時坦白道來，也還保持幾分客觀或客氣，能夠區分學說本身的正誤及其導致的利弊。

　　半年後撰寫《新文化運動與國民黨》，胡適的批評更趨激烈，他指責「根本上國民黨的運動是一種極端的民族主義的運動，自始便含有保守的性質，便含有擁護傳統文化的成分」；孫中山對於中國固有的文明抱一種頌揚擁護的態度，他和許多國民黨的領袖人物如汪精衛、王寵惠等都不瞭解、不贊成新文化運動。「新文化運動的大貢獻在於指出歐洲的新文明不但是物質文明比我們中國高明，連思想學術，文學美術，風俗道德都比我們高明的多。」而孫中山雖然歡迎科學，推崇民治，卻抬高中國的舊政治思想和舊道德，其議論很可以助長頑固思想，養成誇大狂的心理，阻礙新思想的傳播。五四以後，國

民黨受了新文化運動的大震動，以新文化運動為政治革命的有力手段，參加其中，歷史的守舊性質和衛道態度暫時被壓下去，1924年國民黨改組，充分吸收新文化運動的青年，從而使國民黨得到全國新勢力的同情和革命的生力軍。

胡適的意思很清楚，接受新文化以前的國民黨具有保守的反動性，此後與新文化運動進行思想和組織結合，才能成功。一旦恢復保守，只能漸漸變成反時代的集團，決不能作時代的領導者，決不能擔負建立中國新文化的責任。胡適的西化觀念能否使中國革新走向坦途，另當別論，所說的確是胡適與孫中山一貫以來思想分歧的要點，雙方的分合異同，都能從中找到線索。只是在孫中山生前，除因陳炯明事變而起的政治主張與行為之爭涉及精神差異外，胡適幾乎從未公開表述過自己內心根本和整體上不贊成孫中山及國民黨思想文化觀念的看法，而將宣言留給了參政議政的行動。

近代人物的思想與行為，常有許多根本的矛盾，政治革命與文化革新之間，也並非總能協調。胡適從政，難免為政治所惑，一旦回到思想者的立場，則多少有些正義在握的無畏。如果說胡適的世界主義與孫中山的民族主義構成中華民族近代文化思想的有機成分，那麼胡適的自由主義與孫中山的革命致上則是近代中國政治變革相輔相成的因素。當事人的思想與政治衝突實屬自然，後來者力圖分出個此是彼非，甚至用一方否定另一方，則不免失了胡適和孫中山共同具有的現代精神，滑進舊正統的價值評判陷阱。

近現代中華文化思想叢刊 A0102003

孫中山的活動與思想　上冊

作　　者　桑兵
責任編輯　楊家瑜

發 行 人　陳滿銘
總 經 理　梁錦興
總 編 輯　陳滿銘
副總編輯　張晏瑞
編 輯 所　萬卷樓圖書股份有限公司
排　　版　林曉敏
印　　刷　維中科技有限公司
封面設計　菩薩蠻數位文化有限公司

出　　版　昌明文化有限公司
桃園市龜山區中原街 32 號
電話 (02)23216565
發　　行　萬卷樓圖書股份有限公司
臺北市羅斯福路二段 41 號 6 樓之 3
電話 (02)23216565
傳真 (02)23218698
電郵 SERVICE@WANJUAN.COM.TW
大陸經銷
廈門外圖臺灣書店有限公司
　電郵 JKB188@188.COM

ISBN 978-986-496-101-6
2019 年 1 月初版二刷
2018 年 1 月初版
定價：新臺幣 320 元

如何購買本書：
1. 劃撥購書，請透過以下郵政劃撥帳號：
　帳號：15624015
　戶名：萬卷樓圖書股份有限公司
2. 轉帳購書，請透過以下帳戶
　合作金庫銀行 古亭分行
　戶名：萬卷樓圖書股份有限公司
　帳號：0877717092596
3. 網路購書，請透過萬卷樓網站
　網址 WWW.WANJUAN.COM.TW

大量購書，請直接聯繫我們，將有專人為您
服務。客服：(02)23216565 分機 610

如有缺頁、破損或裝訂錯誤，請寄回更換
版權所有·翻印必究
Copyright©2016 by WanJuanLou Books CO.,
Ltd.All Right Reserved　**Printed in Taiwan**

國家圖書館出版品預行編目資料

孫中山的活動與思想 / 桑兵著.-- 初版.-- 桃
園市：昌明文化出版；臺北市：萬卷樓發
行, 2018.01
　冊；　公分.
ISBN 978-986-496-101-6(上冊：平裝).--
1.孫中山思想
005.18　　　　　　　　　　　　107001270

本著作物經廈門墨客知識產權代理有限公司代理，由北京師範大學出版社（集團）有
限公司授權萬卷樓圖書股份有限公司出版、發行中文繁體字版版權。